Dedicatoria

A todos aquellos que reconozco y dedico este mi primer libro por la gracia y el favor del Señor y la inspiración del Espíritu Santo: El Padre, el Hijo y el Espíritu Santo. Eva D. Ojeda madre y hermanos, hijas Sandra I, Lisandra I, Alexandra, su hijo George y especialmente a mis Pastores; Reverendo Ismael Calderón y Mary E. Calderón, a los miembros de la Iglesia Visionera Misionera Pentecostal, Inc. A la Doctora Myrna L. Quiñones, Th.D. al Dr. Julio A. Vega, Dr. Rubén Del Rio, Th.D. todos los compañeros ministros, y todos los hermanos en la fe del Hijo de Dios, Jesucristo.

A Dios sea la gloria. "TE AMO JESUS"

Opiniones sobre el Libro:

"Inyecciones de Fe es un valioso recurso que nos muestra a través de testimonios personales, el poder de la gracia de Dios trabajando en aquellos que desearon darse una segunda oportunidad por medio de aquel que dijo: Yo soy el camino, la verdad y la vida, Jesucristo. Gracias Dr. Marcos A. Toyens por plasmar en este libro las grandezas de un Dios vivo."

Obispo Esteban Rodríguez (Senior Pastor, Centro Cristiano El Pan de Vida)

*

"Me siento muy feliz de haber sido parte de este libro donde testifico lo que Dios hizo en mi vida. El valor de este libro Inyecciones de fe por el autor Dr. Marcos Toyens es infinitamente superior a su precio. Valor porque el autor valora la capacidad individual de superación. Valor por la gestión de los miedos para avanzar en el crecimiento personal, Valor porque todos estamos llamados a ser servidores y pocos están convencidos de que pueden conseguirlo, Valor porque siempre va más lejos de lo que esperas leer o escuchar en él, Valor porque huye de la literatura empresarial sin contenido y profundiza realmente en lo importante; es decir, en la persona, en los valores en contextos e historias de la vida real. Valor porque es pionero, desde hace ya tiempo y a pesar de todo lo que ha pasado asido fiel a Dios y a su llamado. Valor, en definitiva, que no se supone, sino que se expresa en este libro que le hará pensar y reflexionar para poder actuar. Marcos y todos lo que hicimos posible este libro, una vez más, crea valor y, además, lo comparte. La aventura del servidor es una experiencia íntima y profunda, el intento por averiguar cómo vivir una vida con sentido. Marcos ha explorado ese camino y nos da excelentes pistas para reconocer sus fases y encrucijadas. Muchas gracias por este trabajo profundo e inspirador."

Rev. María E. Pagan Directora General del Ministerio de familia a prueba de presión Inc.

*

Cuando conocí a mi hermano en Cristo Dr. Marcos A. Toyens, y hablamos de la visión y misión que tenía entre ella este libro lo apoyé porque es sumamente necesario dar a conocer las buenas nuevas de Cristo en la vida de las personas. Cuando Marcos me dice que escribiera sobre mi testimonio muchas ideas vinieron a mi mente, pero para mí fue un gran placer escribir en este libro una etapa de mi vida. Puedo decirle que el libro es edificante, nos llevas a cambios que Dios hace en la vida de las personas. El autor de este libro es una persona que ha servido por medio de la capellanía en muchas áreas y sé que todavía falta mucho más, porque el llamado es irrevocable. Dios es Bueno. La literatura es un medio para llevar a cabo ideas y mensajes.

El Dr. Marcos A. Toyens lo lleva acabo por medio de este libro de una manera fantástica. Lo que lleva al triunfo en un ministerio o en cualquier meta que nos pongamos es hacer la voluntad de Dios y darle la honra a Él. Les recomiendo el libro, que es un bálsamo para el alma y así queda demostrado que el Dios de ayer es el mismo de hoy que hace milagros y maravillas. A mi hermano Marcos Toyens sigue hacia adelante con tu llamado que cosas grandes vienen. ¡Bendiciones a los lectores!

Rev. Mirna L Quiñones. Vicepresidente del Ministerio de Capellanía The Great Commission of the Chaplain International Corp.

*

Este libro no solo enseña sobre la fe y testifica, sino que la aviva, inyectándonos la Palabra en su momento oportuno. Cada capítulo es una enseñanza de gran valor y una herramienta importante para saber usar las Escrituras, declarar la Palabra y caminar en Fe. Los testimonios son impactantes, tanto de reos, exprisioneros, sanidades físicas, emocionales y misioneros que enfrentan batallas en el campo misionero. Este es un libro para tener en nuestro escritorio, para usarlo o reelerlo siempre que enfrentamos situaciones difíciles en nuestra vida.

Gracias al Dr. Toyens por permitirme ser su editor para que este libro se dé a conocer y ser parte de esa bendición. ¡A Dios sea la gloria!

Milco Baute (Escritor, editor y profesor) www.bauteproduction.webs.com

*

"Felicito al Rev. Marcos Toyens siervo de Dios que ha dedicado su vida al servicio de los demás, en su obra Dosis de Fe para estos Tiempos Difíciles recopila su historia y la de muchos que han sido tocados y reformados en el Espíritu y hoy nos sirven de inspiración"

Ana Rosa Arias (Productora y Presentadora de Hello People's Magazine).

Índice

Sobre el Autor

Reseña Biográfica del Dr. Marcos A Toyens Ojeda, PH. D.

Nació en Juncos, Puerto Rico, el 18 de Mayo del 1961. Sus padres, él señor Jesús M. Toyens y la señora Eva D. Ojeda. Es el segundo hijo del matrimonio. Su niñez transcurrió en el Barrio Guardarraya de La ciudad de Las Piedras, Puerto Rico. Tuvo la oportunidad de cursar estudios elementales, secundarios, superiores y universitarios con alto índice académico.

En el 1996 recibe un grado asociado en administración de empresas del Huertas Junior College en la Ciudad de Caguas, PR, el 15 de Agosto del 2015 recibe un Doctor Honoris Causa del The Great Commission of the Chaplain International Corp.

Recibió el 19 de Septiembre del 2016 un Doctorado en Consejería Bíblica con índice Académico (G.P.A.) de 3.9 de la Universidad Acreditadora de Capellanía y Estudios Bíblicos de Puerto Rico, Inc. El Tema de su Tesis fue; "La Vida En Una Prisión", en donde sus experiencias ministeriales, consejería y mentoría en diferentes países como el Perú en la cárcel San Juan de Lurigancho (una de las 10 cárceles más peligrosas del Mundo).

En República Dominicana en la cárcel La Victoria, ha ministrado la Palabra del Señor y el consejo de la misma en varias facetas; como Ministro, Capellán, profesional en el área de consejería y mentoría.

Desde muy Joven, en el mes de Junio de 1974 comenzó su quehacer en la obra de Señor. Un día en el mes de Junio de 1974, se estaba celebrando un culto dos casas al lado de su residencia en la casa de la señora Priscila García hija del Reverendo Isabelo García (Pionero de Pentecostés en el pueblo de Humacao) quien se convirtió en su padre espiritual y fue bautizado en las aguas por él. Dios comenzó a prepararlo y utilizarlo, convirtiéndose en un colaborador efectivo dentro de la obra del Señor.

Ha sido Presidente de la Juventud, Presidente de la Sociedad de Damas y Caballeros, Obrero, Exhortador, Licenciado Predicador, Ministro Ordenado, Pastor Asistente, Capellán, y Presidente Fundador del Ministerio La Segunda Oportunidad, Inc. También ocupa la posición de Capellán voluntario en dos Hospitales (Florida Hospital) de la ciudad de Kissimmee, Florida, así como Capellán voluntario en el sistema carcelario de la Ciudad de Orlando Florida, en una prisión del Estado (Florida) y El Negociado Federal de Prisiones (BOP).

Fue coordinador general para la emisora Radio Relámpago Cristo Viene: www.RadioRelámpagoCristoViene.com, donde también fue programador del programa "El Pulpito Radial", un programa oficial del Ministerio La Segunda Oportunidad, que se transmitía todos los miércoles de 6:30 PM a 7:00 PM de la noche, en la emisora 11.60 AM www.delcorazondeDios.com, los Lunes de 9 a 10 pm Eastern Time, el programa de Televisión: "Si puedes creer, al que cree todo le es posible" (Marcos 9:23), a través de Nación TV.

El 10 de diciembre de 1978, ingresa al Ejército de los Estados Unidos de América, en la Guardia Nacional de Puerto Rico una de la mejor preparada de la Nación de Estados Unidos, que con mucho orgullo y valor sirvió por más de 20 años y luego en el 1998 ingresa a la reserva del Army en la ciudad de Orlando, Florida en donde sirvió por alrededor de 5 años. Posteriormente ingresa al servicio activo en donde se destacó en varias posiciones hasta el 2 de Junio del 2011, fecha en que se retira con honor y valor retirándose como Sargento (Staff Sergeant) después de servir a la Nación de Estados Unidos por 29 años, 11 meses y 3 días.

En el 1984, comienza a trabajar en la Administración de Corrección donde ocupo varios puestos: Oficial de Custodia I, Sargento Interino, Sargento en Propiedad, Teniente Segundo, Superintendente Interino, Superintendente en Propiedad.

En Junio del 1991 renuncia al puesto de Sargento en la Administración de Corrección para aceptar una oferta de empleo con el Departamento de Justicia de Estados Unidos en la agencia del Negociado Federal de Prisiones como Oficial Correccional, destacándome en la Institución de Talladega

Alabama, en donde ocupo un rol especial en la investigación de la toma de rehenes por los confinados cubanos en Octubre de 1991.

Posteriormente en el 1992 reingresa a la Administración de Puerto Rico, en donde a través de convocatorias y luego de haber participado en el proceso de selección para el puesto de Oficial de custodia III (Teniente II) es promovido.

Entre los años del 1992 al 1997 se desempeñó como Superintendente Interino en el Complejo Correccional de Rio Piedras y posteriormente como superintendente en propiedad.

En Diciembre del 1997 renuncia al Gobierno de Puerto Rico y reubica su residencia en la ciudad de Orlando Florida en donde reside actualmente.

En Año 1985, contrae nupcias con la joven, Sandra González. Para el año 1985 establece a su residencia en el pueblo de Gurabo Puerto Rico. Para este año el junto su esposa perseveraron en la Iglesia de Evangelización Misionera Jóvenes Cristianos con los pastores Jorge Ginestre y Lili Ginestre, Luis Rodríguez y Milagros Pérez.

En el año de 1997, se traslada a la ciudad de Orlando, Florida junto a su esposa e hijas, donde reside en la actualidad (2018).

Perseveró en la Iglesia El Candelero cuyo pastor fue el Reverendo Javier Torres, luego en 1999 se reubica con su familia a la Iglesia Visionara Misionera Pentecostal, Inc. la cual pastorea el Reverendo Ismael Calderón y la Reverenda María E. Calderón como pastor asistente, hasta el presente (2017). También pertenece al Cuerpo Ministerial Cristiano, organización en la cual es uno de sus Ministros Ordenados.

En la actualidad se encuentra cooperando con varios ministerios de capellanía, evangelísticos y de Pastores en la ciudad de Kissimmee y Orlando, Florida, buscando la unidad de los Ministerios en estas ciudades para mejorar la calidad de vida y cumplir con nuestra responsabilidad social de la Iglesia, para así alcanzar los no alcanzados y menesterosos, para la gloria del Señor Jesucristo al cual sirve con todo su corazón, alma, mente, cuerpo, y con todas sus fuerzas.

Se desempeña como Presidente/Fundador del Ministerio La Segunda Oportunidad Inc. con presencia internacional en La Ciudad de Lahore Pakistán y Rana Town, Pakistán, y la Republica Dominicana.

En la actualidad el Dr. Marcos A. Toyens es miembro activo y Ministro Ordenado, del Centro Cristiano Pan de Vida, pastoreado por el Obispo Esteban y Sonia Rodríguez, en donde se desempeña en varias facetas.

Centro Cristiano El Pan de Vida

152 Oakwood Drive

Kissimmee, FL 34743

Asociaciones:

1-International Alliance of Chaplain & Law Enforcement

Clamor por New York; Afiliados a: Administración Federal de Agencias Federales de Emergencias (FEMA). Contratista del Gobierno Federal USA. Asoc. Int. de jefes de Policías. Policías en Servicios Voluntarios.

Nombramientos: Mayor Capellán Coordinador de Programas Carcelario y Hospitalario de nuestra Institución en el estado de la Florida. Para con todos los países y gobiernos miembros y/o consignatarios de las Naciones Unidas, OEA, y la Corte Internacional de Justicia (Haya). Todos los organismos y agencias de seguridad internacional.

2. Ministro Ordenado del Cuerpo Ministerial Cristiano.

3. Ministro Ordenado Universal Life Church Ministries.

4. Miembro activo del Community Emergency Response Team (CERT) en la ciudad de Orlando, Florida.

5. Doctor Capellan para Armor of God International Chaplains.

Personas que reconoce:

Al Padre, Al Hijo, y Al Espíritu Santo.

Su madre Eva D. Ojeda y hermanos, esposa Sandra González, hijas; Sandra I, Lysandra I, Alexandra, su hijo George y en especial a mis Pastores Reverendo Ismael Calderón y la Reverenda María E. Calderón, a los miembros de la Iglesia Visionara Misionera Pentecostal, Inc. A la Dra. Mirna L. Quiñones, Ph.D. Dr. Julio A. Vega, Th.D. Dr. Rubén Del Rio, Th.D. a todos los compañeros ministros, y a todos los hermanos en la fe del Hijo de Dios.

¡A DIOS SEA TODA LA GLORIA! ¡TE AMO JESUS!

Introducción

En este libro se presenta la historia de diferentes hombres que supieron escoger y tomar la decisión más importante de sus vidas para el bien de ellos y la sociedad. Fueron transformados por el poder del Evangelio y la ayuda del Padre, del Hijo y el Espíritu Santo, hemos sido hechos nuevas criaturas como lo describen las Escrituras en 2da de Corintios Capítulo 5 versículo diecisiete sus vidas y sus testimonios impactaran tu vida y recibirás inyecciones de Fe de reclusos, ex-reclusos, experiencias mías en estos lugares durante mis visitas como Ministro del Evangelio y mis experiencias con el Poder, la Unción y la Gloria de Dios, también como Capellán voluntario del sistema correccional de Puerto Rico y Estados Unidos. También como voluntario en varios hospitales en el Estado de la Florida. Así como experiencias de hombres y mujeres de Dios que enfrentaron pruebas, donde su fe fue probada. (Salmo 11:5). Tengo la convicción en el Espíritu que este material al lector le será de mucho apoyo en sus momentos, procesos y desierto, que el Señor permite que pasemos con el propósito primordial para convertirnos en hombres y mujeres de "Fe."

Testimonio del Dr. Pastor Capellán
Marcos A. Toyens, PH. D.

¿Cómo salí de la depresión y como la vencí?

Tengo cuatro hijos; Sandra I., Lysandra, Alexandra y George, pertenecí al ejército de Estados Unidos (US ARMY) por veinte nueve años. Soy presidente / fundador del Ministerio La Segunda Oportunidad, Inc. Pertenezco y soy parte de algunos ministerios nacionales e internacionales entre estos la Asociación Evangelística de Dios es el Poder, cuyo presidente es el Evangelista y Pastor Marcos (Randy) Island, miembro activo de la iglesia Visionera Misionera Pentecostal, Inc., cuyos pastores son Ismael y María Ester Calderón. Soy miembro activo del ministerio de capellanía La Armadura de Dios cuyo presidente es el Obispo Dr. Armado Borrero junto a su esposa Dr. Carmen J. Borrero. Soy miembro activo de la capellanía International Alliance of Chaplains and Law Enforcement, ocupando el puesto de Mayor Capellán para el estado de Florida. En mi tiempo libre soy voluntario como maestro junto al compañero ministro Randy Island, en el sistema carcelario de la Ciudad de Orlando, Florida, también doy de mi tiempo libre al sistema estatal y federal de prisiones del Estado de la Florida y en el Complejo Federal de Prisiones de la ciudad de Colman, Florida.

Realizamos funciones de recurso especial para el departamento de capellanía carcelario de Puerto Rico, en donde trabajamos por trece años y un año en el departamento de prisiones federales en el Estado de Alabama y Puerto Rico (MDC Guaynabo).

El tema que voy a desarrollar es sobre la Depresión, la Psicosis y la Ansiedad, algo que fue una vivencia en mi vida. La historia que contar se traslada al año 2009. Comenzaré con definir los términos médicos de la depresión mayo, ansiedad y psicosis, los cuales padecí por alrededor de dos años.

¿Qué es la depresión?

¿Por qué una persona puede caer en una depresión?

¿Cómo combatir la depresión?

A. ¿Qué es la depresión?

La depresión clínica, es una enfermedad grave y común que nos afecta física y mentalmente en nuestro modo de sentir y de pensar. La depresión nos puede provocar deseos de alejarnos de nuestra familia, amigos, trabajo, y escuela. Puede además causarnos ansiedad, pérdida del sueño, del apetito, y falta de interés o placer en realizar diferentes actividades. Casi todos nosotros hemos sentido alguna vez, una inmensa tristeza en nuestras vidas. Esto es normal. Pero si esta tristeza o actitud depresiva continúa por más de dos semanas, se debe buscar ayuda. Sentir tristeza es normal, estar deprimido clínicamente no lo es.

La depresión clínica no es simplemente una angustia, es también una tristeza o melancolía permanente. Nos lleva a sentir inútiles, sin esperanza; a veces, es posible que nos queramos dar por vencidos. La depresión clínica causa pérdida del placer en la vida diaria, tensión en el trabajo y en las relaciones, agrava condiciones médicas e incluso puede llevarle al suicidio.

B. ¿Qué es la ansiedad?

La ansiedad (del latín anxietas, 'angustia, aflicción') es una anticipación de un daño o desgracia futuros, que se acompaña de un sentimiento desagradable o de síntomas somáticos de tensión. El objetivo del daño anticipado puede ser interno o externo. Se trata de una señal de alerta que advierte sobre un peligro inminente y permite a la persona que adopte las medidas necesarias para enfrentarse a una amenaza. La ansiedad es una sensación o un estado emocional normal ante determinadas situaciones y constituye una respuesta habitual a diferentes situaciones cotidianas estresantes. Por lo tanto, cierto grado de ansiedad es incluso deseable para el manejo normal de las exigencias del día a día. Únicamente cuando sobrepasa cierta intensidad o supera la capacidad adaptativa de la persona es cuando la ansiedad se convierte en patológica, provocando un malestar significativo, con síntomas físicos, psicológicos y conductuales, la mayoría de las veces muy inespecíficos.

La característica esencial de este trastorno es un sentimiento de desazón y desasosiego generalizados y persistentes, que no están referidos a ninguna circunstancia ambiental en particular. Lo más habitual es que el paciente se queje de estar permanentemente nervioso, así como de sentir otros síntomas típicos de la ansiedad como temblores, tensión muscular, exceso de sudoración, mareos y vértigos, taquicardia, y molestias epigástricas.

Con frecuencia manifiestan el temor a que ellos mismos, o sus seres queridos, puedan contraer una enfermedad o sufrir un accidente, entre diversas obsesiones y presentimientos de carácter negativo. La ansiedad es un trastorno más frecuente en mujeres y está a menudo relacionado con el estrés ambiental de su vida cotidiana. Tiene un curso variable, dependiendo de las características de la persona afectada, pero tiende a ser fluctuante y crónico. Para que el trastorno de ansiedad sea diagnosticado como tal, el paciente debe presentar síntomas de ansiedad casi todos los días durante varias semanas seguidas.

Los signos de ansiedad más indicativos son:

Aprensión (excesiva preocupación sobre posibles desgracias futuras, sentirse "al límite" de sus fuerzas, dificultad de concentración, etcétera).

Tensión muscular (agitación e inquietud psicomotrices, cefaleas de tensión, temblores, incapacidad de relajarse).

Hiperactividad vegetativa (mareos, sudoración, taquicardias o taquipnea, molestias epigástricas, vértigo, sequedad de boca...).

Los niños suelen manifestar una necesidad constante de seguridad y atención, y quejarse reiteradamente.

C. ¿Qué es la psicosis?

La Psicosis es un término médico que se utiliza para describir síntomas de ciertos problemas de salud mental. La diferencia entre la realidad y la imaginación puede enmascararse en individuos con psicosis, llevando al pensamiento y al juicio empeorado.

Hay dos características típicas de psicosis:

Alucinaciones - Esta es una característica de la psicosis donde la persona oye, ve o aún huele las cosas que no están presentes en realidad. Las voces de la Audición son una de las características más comunes de la psicosis. Estos se llaman las alucinaciones auditivas.

Falsas Ilusiones - Ésta es una característica de la psicosis donde una víctima cree algo que no es verdad. Por ejemplo, creen que alguien está proyectando dañarlos o matar. La mayoría de la gente con psicosis tiene una combinación de alucinaciones y de falsas ilusiones. Esto puede causar cambios y cambios en comportamiento, emociones, el pensamiento y creencias.

La Psicosis es accionada a menudo por otras condiciones de salud mental. Puede ser una parte de otras enfermedades tales como desorden bipolar o esquizofrenia. La Psicosis se puede también accionar por enfermedades tales como enfermedad de Parkinson, tenencia ilícita de drogas, alcoholismo y cáncer de cerebro.

Diagnóstico y Tratamiento

La Psicosis es señalada generalmente a un profesional de la atención sanitaria por un miembro de la familia, un amigo o un cuidador de la persona que está enferma como la mayoría de los pacientes sea, ellos mismos, inconsciente de su condición. La Diagnosis es hecha por un psiquiatra, a través de las pruebas que hablan de que se realizan para evaluar la severidad de la condición.

El tratamiento para la psicosis implica generalmente una combinación de antipsicóticos llamados medicación y terapia o asesoramiento que habla.

Mientras que la medicación puede relevar los síntomas de psicosis, la terapia que habla puede dirigir la causa subyacente de la psicosis.

La terapia del comportamiento Cognoscitiva (CBT) es un ejemplo de hablar la terapia que es de uso general ayudar a gente con psicosis. Independientemente de terapia psicológica y de la medicación, la gente con psicosis también requiere el soporte de la gente en su familia y círculos sociales.

¿Qué enfermedades producen el trastorno psicótico (psicosis) y cuál es su significado?

La enfermedad más conocida dentro de los trastornos psicóticos sería la esquizofrenia. La predisposición genética y unos factores ambientales serían la causa desencadenante. Igualmente, sería necesario un periodo ininterrumpido de al menos 6 meses de síntomas. La base fundamental de su tratamiento serían los medicamentos antipsicóticos y una psicoterapia integradora. Un episodio psicótico breve sería una reacción que podría tener una persona vulnerable genéticamente a la psicosis y que en momentos de máximo estrés se descompensa. La desaparición de los síntomas suele ser rápida y la recuperación total. El tratamiento sería antipsicótico durante un periodo determinado de tiempo.

Como combatir la depresión, ansiedad y psicosis:

1. Busque ayuda profesional.

2. Busque consejería.

3. Confié en que va a poder salir de ese problema y busqué la ayuda divina.

4. Envolverse en programas de recreación y deportes.

5. Comparta con buenas amistades.

A continuación, parte de mi testimonio y como yo pude Salir y superar la depresión en mi vida.

¿Cómo llego' la depresión a mi vida?

Quisiera comenzar mi testimonio y mi experiencia (mi vivencia) de la enfermedad o trastorno mental con la definición de un ataque de pánico (panic attack).

¿Qué es un ataque de pánico?

Un ataque de pánico es una sensación repentina e intensa de terror, el miedo o aprensión, sin la presencia de un peligro real. Los síntomas de un ataque de pánico suelen ocurrir de repente, el pico a los 10 minutos y luego desaparecen. Sin embargo, algunos ataques pueden durar más tiempo o pueden producirse en serie, lo que hace difícil determinar cuándo un ataque termina y comienza otro.

Los tres tipos de ataques de pánico

Los ataques de pánico se clasifican en tres tipos básico.

1. Los ataques de pánico espontáneos ocurren sin advertencia o "de la nada." No hay factores desencadenantes situacionales o ambientales están asociados con el ataque. Estos tipos de ataques de pánico pueden presentarse durante el sueño de uno.

2. Los ataques de angustia situacional o estimulada se producen después de la exposición real o anticipada a ciertas situaciones. Estas situaciones se convierten en señales o factores desencadenantes de un episodio de pánico. Por ejemplo, una persona que teme a los espacios cerrados experimenta un ataque de pánico al entrar, o pensando en entrar, un ascensor.

3. Los ataques de pánico situación determinada no siempre ocurren inmediatamente después de la exposición a una situación temida o señal, pero el individuo es más probable que experimente un ataque en tales situaciones. Por ejemplo, una persona que tiene miedo a las situaciones sociales, pero que no experimenta un episodio de pánico en toda situación social o que experimenta un ataque de retraso después de estar en un entorno social durante un período prolongado de tiempo.

MI TESTIMONIO Y VIVENCIA:

Para el 2009 me encontraba sirviendo en el ejército (Army), en la posición de Sargento (Staff Sergeant), ocupando el puesto de Motor Sergeant(Supervisor de Mantenimiento) de todo el equipo de un Batallón de Policía Militares (MP Batallón), en la ciudad de Tampa Florida, una mañana me encontraba en mi oficina y de repente o sin esperarlo vino a mí los síntomas de un ataque de Pánico (panic attack). Traté de controlarme sin éxito y tuve que pedir ayuda profesional.

Cuando le explique a la Dra. Del departamento de salud mental (Mental Health) de la Base de la Fuerza Aérea Macdill, Tampa, Florida como me sentía y cuáles eran los pensamientos que me agobiaban, pensamientos muy negativos y de índole peligrosos, me informo que no podía dejarme ir en la condición que me encontraba, me interno en un hospital para tratamiento, para protegerme y de esta manera poder recuperar mi control emocional. Este fue uno de los muchos hospitales que estuve recluido, alrededor de seis en total en las ciudades de Tampa, Orlando del Estado de Florida y el Estado de Georgia.

Por dos años estuve recibiendo mucha ayuda profesional, espiritual y sobre todo un trato especial de parte de Dios, utilizando a muchas personas especiales, tanto personal de la salud, ministros, hermanos en la fe del Hijo de Dios(Jesucristo), que nunca me desamparo, si podríamos llamar, uno de mis viacrucis más fuertes en mi caminar de Fe. Algo que quiero enfatizar es lo siguiente; nadie cristiano no cristiano, creyente no creyente estamos exentos de padecer enfermedades o trastornos mentales, Dios utiliza muchos medios para hacer el bien a nuestras vidas, tanto la ciencia médica, los medios naturales como también su poder Sobrenatural y es mi opinión muy personal que el "Jesús de Nazaret" está presente en todos esto métodos si con fe puedes creer, la Palabra de Dios y sus promesas, fueron la clave para yo pudiera sobrevivir a mi desbalance emocional y físico. "A Dios Se Toda La Gloria" y estaré toda mi vida agradecido y a las amistades tan especiales que me ayudaron a vencer la prueba de Fe que visito mi vida y mi familia, que fueron clave como mi ayuda en todo el proceso antes, durante y después de superar y vencer con éxito rotundo mis condiciones emocionales (depresión mayor, ansiedad y psicosis).

El propósito de este testimonio y el objetivo del autor de esta obra literaria y demás escritores, es el bendecir a todo el público que lea este libro, salido del corazón de Dios y puesto en nuestros corazones para el bien y ayuda, tanto educativo como inspiracional.

MI EXPERIENCIA CON LA MUERTE

Mi historia y vivencia con la muerte, comienza el día 22 de noviembre del 2016 de camino a Texas, para someter mi solicitud de una visa en la embajada de Pakistán, lugar donde el Señor nos ha comisionado, para llevar su Palabra y en donde por su gracia registramos nuestro ministerio en Noviembre 2016; donde ya tenemos oficina ministerial y un Panel de obreros dirigido por el Obispo Sharoon Javed, todo esto se ha llevado a cabo en la Ciudad de Lahore, Pakistán y en el pueblo de Rana Town, en donde está trabajando fuerte y valerosamente la pastora Amna Faisal. Alla tenemos tres Iglesias, un Orfanatorio y un ministerio carcelario. ¡A Dios sea toda la gloria! Cualquiera que desee unirse a esta empresa de Dios puede contactarme a nuestra página web: www.ministeriolasegundaoportunidad.org; o a mi número personal (407) 729-9834. Gracias por su apoyo económico, espiritual, en oración y de Fe. Recuerdo haber hablado con el Reverendo Heli Vera, supervisor de nuestro movimiento en la ciudad de Lima Perú, el cual hice un compromiso para dejarlo en Jacksonville, Florida como yo pasaría por dicha área en mi camino al Estado de Texas, le dije que no comprara el boleto de transportación en autobús que yo lo dejaba en dicho pueblo y así se economizaría un poco de dinero. Después que lo deje' en Jacksonville yo proseguí mi ruta o mi viaje a Texas lo que no me imaginaria era que iba a tener una experiencia espantosa a través de un accidente automovilístico tan violento que solamente la protección de Dios me libraría de la muerte.

Recuerdo que el día anterior lunes 21 de Noviembre; en dicho día se suponía que yo descansara lo suficiente para mi travesía hacia Texas y no tome el consejo de mi esposa, mi amiga pastora Alicia Olivo y mi pastor

Esteban Rodríguez, que me aconsejaron que descansara bien para esta viaje, ya que estaría solo después de dejar a mi consiervo Reverendo Heli Vera, supervisor de nuestro movimiento conciliar en Lima Perú quien se encontraba de vacaciones y compromisos ministeriales en Estados Unidos. Dentro de mi irresponsabilidad de no tomar el consejo al no descansar lo suficiente me vi envuelto en un terrible accidente en la autopista interestatal 10 (HWY 10). A 30 millas del Estado de Alabama el cansancio me venció y terminé quedándome dormido manejando mi vehículo que se volcó, resultando en pérdida total.

Recuerdo que desperté cuando finalizo mi camioneta de dar vueltas y vueltas; no sé exactamente cuántas fueron, lo único que recuerdo el haber quedado pegado literalmente a la tierra ya que la camioneta cuando se detuvo quedo en posición vertical. Chequeé mi cuerpo por si tuviera una herida abierta, luego comencé a subir y una vez en la parte de arriba ya se habían aparecido varios transeúntes quienes observaron el accidente y vinieron en mi ayuda, solamente el Ángel de Jehová como dice el Salmo 34:7, quien acampa a nuestro alrededor nos defiende y nos libra de las garras del enemigo de nuestras almas (Diablo o Satanás). Solo Dios me pudo haber librado de haber muerto en este accidente.

Había dos propósitos con este viaje el que mencioné anteriormente, además de el de compartir y ser partícipe de la instalación del Reverendo Marcos "Randy" Island mi amigo personal quien hemos aprendido a amar como ser humano; un gran líder en el Señor como pastor en propiedad de una de las iglesias del concilio de Dios Pentecostal, Movimiento Internacional en la ciudad de San Antonio-Texas. Recuerdo tener que ocuparlo notificándole de mi accidente, rápidamente me conecto o me puso en contacto con pastores del área del el Estado de Alabama, quienes me ayudaron al rentarme una habitación de Hotel al lado de donde ocurrió el accidente catastrófico y en donde pude ver la manifestación del Poder de Dios librándome de la muerte.

Dios me trae a la memoria de una experiencia de gloria en mi hogar cuando me encontraba convaleciendo de mi primera operación de las tres que me realizaron en el mes de Septiembre del 2014, en donde vi una vez más que Dios es fiel con los que le sirven en espíritu y en verdad.

Recapitulando, no tuve que visitar una sala de emergencia ya que no me sentía mal. Recuerdo a una de mis hijas Alexandra Toyens me insistía para que fuera a sala de emergencia y me sometiera a un examen médico por si tenía una hemorragia interna, le conteste que no se preocupara que me sentía bien gracias al Señor quien me había protegido y quien ha hecho de mí un 'Guerrero Espiritual" y "Un Hombre de Fe" para su gloria y honra, para que el mundo entero sepa y anuncie de su poder, virtudes y que dé Él es el Poder (Salmo 62:11).

Después de contactar al pastor de Alabama, amigo del Reverendo Marcos "Randy" Island, proseguí a almorzar y cenar en un restaurant de la parada de camiones, fue entonces cuando se acerca a mí un anciano que aparentaba tener como 85 años de edad, quien me dice que el Señor lo había enviado a mí a ayudarme, pero que yo le iba a ayudar también a él, le mostré las fotos de mi camioneta y le compartí el testimonio de como la protección y la ayuda de Dios, que siempre llega a tiempo y me había librado de perder la vida en dicho accidente.

Algo que quiero enfatizar es a los que están leyendo este libro, nacido en el corazón de Dios e inspirado por el Espíritu en mí, que ha de ser de bendición al lector; que nosotros nos vamos de esta tierra cuando el soberano Dios de los Cielos lo determine y no cuando una enfermedad visite tu cuerpo, un accidente, o una prueba... dile y declara a ese Goliat, que no tiene parte contigo y si el caso es de enfermedad (la prueba más común), declara lo que dice la Palabra en Isaías 53:4. Y nada, ni la carne, el mundo, el inferno ni satanás te podrán apartar del amor de El (Padre) que es en Cristo Jesús Señor de señores y Rey de reyes (Romanos 8:35-39).

Nos aconseja La Palabra de Dios en Proverbios 18:21; que la muerte y la vida; están en poder de tu lengua, por eso estamos llamados a hablar el lenguaje de la Fe, que solamente lo aprenderemos escudriñando las

Escrituras, aplicándola y viviéndola día a día, ¡Aleluya, Santo es nuestro Dios!

Al día siguiente, día de acción de gracias (Thanksgiving), el hermano que el Señor me envió a socorrerme Evangelista John Wolf, continuamos la travesía al pueblo de San Antonio Texas con la ayuda de Dios. Recuerdan que el hermano John cuando vino a mí él me dijo que Dios lo había enviado a mí a ayudarme y que yo le ayudaría a él, así se cumplió al el llevarme a mi destino y yo ayudándolo a él. Hago un paréntesis, para pedirles que presenten este gran hombre de Fe en sus oraciones, para que Jehová Rafa lo sane del riñón, ya que está peleando con un cáncer de uno sus órganos, que sea sanado por el Poder de la Palabra y en el nombre de Jesús

Quiero concluir este testimonio de vida con la bendición sacerdotal que se encuentra el libro de Números 6:24-26: "Jehová te bendiga, y te guarde; Jehová haga resplandecer su rostro sobre ti, y tenga de ti misericordia; Jehová alce sobre ti su rostro, y ponga en ti paz."

Dios ve la Fe y actúa

Lucas Capítulo 7: 3-10, narra la historia del siervo de un centurión (un soldado con mando y poder), a quien éste quería mucho, y estaba enfermo y a punto de morir.

"Cuando el centurión oyó hablar de Jesús, le envió unos ancianos de los judíos, rogándole que viniese y sanase a su siervo. Y ellos vinieron a Jesús y le rogaron con solicitud, diciéndole: Es digno de que le concedas esto; porque ama a nuestra nación, y nos edificó una sinagoga.

Y Jesús fue con ellos. Pero cuando ya no estaban lejos de la casa, el centurión envió a él unos amigos, diciéndole: Señor, no te molestes, pues no soy digno de que entres bajo mi techo; Por eso ni siquiera me atreví a presentarme delante de ti; pero con una sola palabra que digas, quedará sano mi siervo. Al oír esto, Jesús se maravilló de él, y volviéndose, dijo a la gente que le seguía: Os digo que ni aun en Israel he hallado tanta fe.
Y al regresar a casa los que habían sido enviados, hallaron sano al siervo que había estado enfermo."

El Centurión al ver a Jesús vio su grandeza y poder. Él tenía fe en el poder de Jesús de sanar a su siervo. El reconoció que Jesús no era un falso. Pero también vio que Jesús era accesible.

Se sentía el centurión indigno de invitar a Jesús a su casa, pero creía que Jesús escucharía su plegaria. Es importante observar que el centurión tenía fe en la Palabra de Jesús. Dice, "pero di la palabra, y mi siervo será sano". No tenía que entrar, mucho menos tocar al siervo (2 Reyes 5:11); el centurión creía que con nada más decir la palabra Él podía sanar. Pocos judíos ponían tanta importancia en la Palabra de Jesús. Cristo elogió su fe: "Os digo que ni aun en Israel he hallado tanta fe", y estuvo muy dispuesto a sanar al siervo de este hombre. Cristo busca la fe en nosotros.

29

También en Marcos: 5:21-43, Podemos ver la historia de una mujer que padecía de flujo de sangre y cuando ella oyó hablar de Jesús se abrió paso entre la multitud, porque ella creía que, si tan solo tocaba el borde del manto de Jesús, sería sana, dice la Biblia, que esta mujer había gastado todo su dinero en médicos, pero continuaba enferma. La Biblia nos dice que el poder de la vida y de la muerte está en la lengua, llegamos tan lejos como nuestras palabras nos lancen, si el poder de la vida está en la palabra pues hable palabras de vida; entre tu boca y tu corazón está el milagro.

Hay que creer y confesar la Palabra de Dios. Luego de esto, la fuente de su sangre se secó, y sintió en el cuerpo que estaba sana, ella creyó primero, luego lo confesó y después sintió. La gracia es hablar bien cuando se sienta mal, las cosas hay que hablarlas como si ya fuesen, no tienes lo que quieres porque no lo has dicho. Cuando tú hablas hay ángeles trabajando a tu favor, trayendo tu bendición. Habla palabras de salud, de riquezas, de bendición porque en tu boca hay un milagro.

La mujer hablaba y se acercaba cada vez más, y cuando tocó el manto de Jesús sintió el poder en su cuerpo. Jesús conociendo el poder que había salido de Él, volvió hacia la multitud diciendo ¿Quién ha tocado mis vestidos?, sus discípulos dijeron: ¡La multitud te aprieta!, ninguno de ellos creía, pero entre la multitud solo la mujer recibió el milagro, porque lo tocó en fe. Solo reciben los que creen, los que confiesan, los que tienen una expectativa, los demás solo curiosearon por eso no recibieron nada.

Muchos lo tocaron, pero solo uno supo tocar. Jesús le dijo: Hija, tu fe te ha sanado, no solo es el poder, también es necesario creer. Y el Señor unge a sus siervos con dones de Sanidad para sanar enfermos, pero el problema es que tú creas, porque lo que sana es la fe. Jesús no va a nadie sin expectativa de fe, los que tienen fe van a Él.

Muchos cristianos se preguntan cuál es la diferencia entre los que logran las grandes victorias y bendiciones y los que no salen de una vida llena de problemas y sinsabores. Existen gran cantidad de personas cristianas que a pesar de haber aceptado a Jesucristo como su Salvador no logran que su vida cambie, siempre atraviesan los mismos problemas y no encuentran la salida, y ven como otros hermanos en la fe triunfan de la mano de Dios siendo bendecidos en gran manera. Y es entonces que muchos se preguntan cuál es la diferencia, porque a unos si y a otros no.

Querido hermano, la gran diferencia es: Creerle a Dios, en la Sagrada Biblia. Está bien claro que todos los héroes bíblicos y personajes que recibieron la bendición de Dios se caracterizaron por creerle a Él.

Es por eso que existen muchas personas que oran constantemente, asisten a la iglesia, hasta a veces cumplen con alguna responsabilidad dentro de la misma, ayudan a otros a llegar a Jesucristo, pero en sus vidas no se ve la gloria de Dios. Estos son los que dentro de la iglesia escuchan cuando el pastor predica las promesas de Dios y en ese momento la creen, pero cuando salen de la iglesia, al encontrarse nuevamente con el mundo exterior, comienzan a mirar para los problemas y dejan de creer la promesa de Dios dando lugar a la duda y a la incredulidad. Estas personas son las que actúan por emoción, ellos dentro de la iglesia se dejan llevar por el clima de fe que los rodea, pero al quedarse solos se acaba la fe y se empiezan a dejar llevar por la situación.

Como dice la Palabra de Dios en Hebreos 11:2: "Es, pues, la fe la certeza de lo que se espera, la convicción de lo que no se ve". Aquí podemos notar que la fe no tiene nada que ver con la emoción. Este es uno de los motivos más importantes del porque muchas personas no reciben las bendiciones de Dios. Creerle a Dios es un acto de fe donde no interviene la emoción, creerle a Dios es saber que Dios tiene el poder de cumplir sus promesas sin importar ni la situación ni ninguna otra cosa. Dios no depende de nada, por lo tanto, sus promesas siempre se cumplen. (Por supuesto que esto es lo que saben los que le creen a Dios).

Si leemos en Génesis (Cap. 6) la historia de Noé, podemos confirmar lo dicho anteriormente, Dios le dijo a Noé que construyera un arca porque debido a la maldad y violencia que había por toda la tierra iba a traer un diluvio de aguas sobre la tierra para destruir toda carne. Ubiquémonos en la situación. Hasta ese momento nunca había llovido sobre la tierra, por la noche subía una neblina que cubría la tierra hasta cierta altura y al alba caía en forma de rocío y regaba la tierra. Aunque Noé nunca había visto ni oído que hubiera llovido igual le creyó a Dios. En esa misma situación ¿Cuántos de nosotros le hubiéramos creído a Dios? Ahora queda bien claro cuál es la diferencia, los verdaderos "hombres de Dios" siempre le creen a Dios, aunque lo que Dios le diga sea totalmente imposible para la razón.

Se imaginan a Noé construyendo el arca y a todos sus contemporáneos burlándose de él, si nunca antes había llovido, todos trataban a Noé de loco. Pero Noé a pesar de tener aparentemente todo en contra, le siguió creyendo a Dios sin importarle nada ni nadie. Ahora, ¿Cuál cree usted que fue la reacción de todos los burladores cuando el diluvio ya estaba en marcha? En la actualidad pasa lo mismo, hay muchos que ven la gloria de Dios manifestarse en la vida de los que "le creen a Dios" y nunca en su propia vida.

En Génesis (Cap.18) podemos leer cuando Dios le prometió un hijo a Abraham y le dijo: "De cierto volveré a ti; y según el tiempo de la vida, he aquí que Sara tu mujer tendrá un hijo". Abraham tenía 100 años y Sara tenía 90 y le "había cesado ya la costumbre de las mujeres". Sara, que estaba escuchando se rio y no creyó, pensó: ahora con 90 años y sin la costumbre de las mujeres y mi señor ya viejo, ¿cómo voy a tener un hijo? Pero Abraham si le creyó a Dios y dice la escritura que le fue contado por justicia.

Querido hermano, sucedió luego, que Abraham tuvo su hijo porque Dios siempre cumple su promesa y fue Abraham padre de naciones como nadie pudo contar. Ahora bien, Abraham seguramente también pensó como Sara, pero la diferencia fue que él le creyó a Dios, a pesar de todo, a pesar de la esterilidad de su mujer, a pesar de su vejez, a pesar de que era imposible.

Cuando uno le cree a Dios no hay imposibles, esa es la verdadera fe, la fe que agrada a Dios, esa fe pura y limpia que solo un hijo puede tener en su Padre, y esa es la fe que mueve la mano de Dios y hace que los milagros sucedan, que se derriben gigantes y que las derrotas se conviertan en victorias. Hermano, basta de dudas y temores, basta de derrotas y sinsabores, basta de ver como otros reciben las grandes bendiciones. La decisión es tuya, empieza ya mismo a creerle a Dios, esta actitud es la que hace la diferencia entre los que reciben las grandes bendiciones y los que no.

En el libro de Santiago 1: 6, Dios exige que se debe pedir con fe. "Pero que pida con fe, sin dudar, porque quien duda es como las olas del mar, agitadas y llevadas de un lado a otro por el viento. Quien es así no piense que va a recibir cosa alguna del Señor".

También en Hebreos 11: 6: "En realidad, sin fe es imposible agradar a Dios, ya que cualquiera que se acerca a Dios tiene que creer que él existe y que recompensa a quienes lo buscan".

Nunca dejes de ser agradecido

No podemos dejar de ser lo que para nosotros es clave en nuestra relación e intimidad con Dios, "Agradecidos".

Reciba esto: "Para tener entrada a Dios, dar gracias es clave".

Dice 1 Tesalonicenses 5:18 (PDT): "Den gracias a Dios siempre, esto es lo que él quiere para ustedes en Cristo Jesús."

Efesios 5:20 (PDT) dice: "Siempre den gracias a Dios Padre por todo en el nombre de nuestro Señor Jesucristo."

Claves para no dejar de ser agradecidos por las dificultades que nos asedian

1. Dar gracias es la voluntad de Dios para nosotros: Esto es muy importante, según lo que expresa tesalonicenses, Dios está esperando que nosotros como creyentes seamos agradecidos en todo momento. Digamos cuando soy agradecido, estoy cumpliendo con Su voluntad.

2. Dar gracias por todo: En este segundo punto, según Efesios, debo tener dos cosas vitales, la primera tener discernimiento, la segunda tener equilibrio. Dar gracias a Dios en todo, habla de saber entender que Dios está en control de las cosas. Dar gracias a Dios en todo, no significa aceptar todo, significa acomodar nuestro interior para luego enfrentar la dificultad. Reciba esto: "ser agradecido es lo que moverá a Dios para que nos imparta fuerza".

3. Dar gracias destraba la prosperidad: Mateo 15:36 (PDT) dice: "Tomó los siete panes y los pescados, dio gracias a Dios, los partió y comenzó a dárselos a sus seguidores para que se los repartieran a la multitud."
Siempre la prosperidad de Dios se destrabará a causa del agradecimiento, este pasaje deja claro que lo poco en la mano, bajo un estado de agradecimiento, suelta la abundancia de Dios.

Aprenda esto: "Ser agradecido es una de las llaves de la vida que abren las puertas más difíciles".

Reciba esto: "Nadie tiene en cuenta al egoísta, al individualista, pero si a los agradecidos".

4. Dar gracias prepara el camino para el milagro: Juan 11:41 dice, "Entonces quitaron la piedra de donde había sido puesto el muerto. Y Jesús, alzando los ojos a lo alto, dijo: Padre, gracias te doy por haberme oído."

Es maravilloso ver como Jesús agradece en todo, en este caso, frente a un desafío impresionante, un muerto de cuatro días.

Aprenda esto: "El agradecimiento prepara el camino para el milagro, sin importar cuán complicado, difícil sea la situación..." "Si comenzamos a ser agradecidos, comenzaran a soltarse los milagros"

La maldición de la ingratitud

Quizás deberíamos haber empezado por esto, pero queremos exaltar lo que verdaderamente es importante, ser agradecidos. Es real que hoy, lamentablemente, la ingratitud es más común de lo que debería ser.
Ingrato significa: Desagradecido, que olvida o desconoce los beneficios recibidos. Desapacible, áspero, desagradable.

Justamente por esta definición del diccionario es porqué Dios no usa este tipo de personas.

No hay nada peor que ser desagradecido en el Reino de Dios. "El ser ingrato te hace olvidar de donde te saco Dios, y si uno observa, a través de la biblia vemos como Dios siempre le hablo al pueblo haciéndole recordar de donde los había sacado".

2 Timoteo 3:1-2 dice: "También debes saber esto: que en los postreros días vendrán tiempos peligrosos. Porque habrá hombres amadores de sí mismos, avaros, vanagloriosos, soberbios, blasfemos, desobedientes a los padres, ingratos, impíos..."

Enseñanza 1: El desagradecido ante los ojos de Dios, es como el soberbio, como el blasfemo, como los ególatras, etc. Por eso es tan fuerte el lazo que se posa sobre un corazón que vive en un estado de ingratitud.

Enseñanza 2: Los ingratos no respetan ni valoran a las personas que lo dirigen en el propósito de Dios para sus vidas.

Enseñanza 3: Los ingratos no comprenden, ni valoran lo que significa la cobertura divina. Son vividores de bendiciones que luego desprecian.

Enseñanza 4: Los ingratos tienen la capacidad de vivir sin un sentimiento de culpa por su ingratitud. Aprenda esto: Se necesita liberación para quebrar el poder de la ingratitud, esta es un área que el creyente no le presta atención, pero que el diablo usa mucho.

Reciba esto: Pase lo que pase en una iglesia, en su casa, donde sea, solo por ser agradecido a Dios uno busca desesperadamente una cobertura espiritual. Pero la ingratitud es tan grande que cuando pasa algo no se mide absolutamente nada y se actúa según la voluntad propia. Bajo el concepto, "igual sigo buscando a Dios en casa..." eso parece ser agradecido a Dios, pero aprenda esto, el agradecimiento se ve no por cuanto Lo busques, sino por cuanto Lo obedezcas" Aprenda esto: "El ingrato nunca estará feliz de obedecer, porque solo quiere recibir..."

Más que nunca debemos comprender que el agradecimiento es clave para la multiplicación. El agradecimiento es clave para la extensión en nuestras vidas.

Reciba esto: Los agradecidos serán los próximos líderes, prósperos, multiplicadores, de los agradecidos será todo lo prometido por Dios.

Cinco actitudes de vida que agradan a Dios

Introducción:

• Ser un verdadero cristiano no es "ir a la iglesia los domingos" nada más; es un estilo de vida. Dios quiere que nuestra forma de vida sea agradable a Él, que seamos un testimonio real de su obra en nosotros.

• Cuando llevo una forma de vida que agrada a Dios, entonces le testifico de Cristo al mundo.

• Antes de ver actitudes de una vida agradable a Dios, veamos los beneficios de tener esa vida.

Beneficios de vivir agradando a Dios:

Eclesiastés 2:26 Porque a la persona que le agrada, Él le ha dado sabiduría, conocimiento y gozo; más al pecador le ha dado la tarea de recoger y amontonar para darlo al que agrada a Dios. Esto también es vanidad y correr tras el viento.

Si nuestra forma de vida es agradable a Dios, Él nos dará sabiduría, conocimiento, gozo y riquezas, eso lo supo Josué y Caleb cuando iban a entrar a Canaán, aunque los demás del pueblo tuvieron miedo por los gigantes que había, ellos dijeron:

Números 14:8 "Si el Señor se agrada de nosotros, nos llevará a esa tierra y nos la dará…"

1) Actitud primordial.
2) Actitud Humilde.
3) La actitud de alabar a Dios en todo tiempo.
4) La Actitud de Ayudarnos Mutuamente.
5) La Actitud de Apartarnos de toda maldad.

1. Fe, actitud primordial

En la actitud de Josué y Caleb vemos el primer ingrediente que debemos tener para que nuestra vida sea agradable a Dios: la Fe. La confianza plena en Dios.

Ellos confiaron en que Dios cumpliría lo prometido, ellos no vieron a los gigantes que había en Canaán, creyeron que su Dios es todopoderoso capaz de destruir a cualquier gigante y por eso no titubearon en ingresar a Canaán. La Biblia declara que "sin fe es imposible agradar a Dios", o, en otras palabras: "solo con fe es posible agradar a Dios", este es un elemento primordial, no podemos tener una vida agradable sino tenemos fe.

Fe en nuestro Señor Jesucristo, es por su sacrificio que hemos sido aceptos delante de Dios. Fe en Su Palabra, en Sus Promesas. Fe para emprender las cosas de la vida. Fe para estar firmes en las pruebas.

2. Actitud Humilde

Salmo 51:16,17 "Porque no te deleitas en sacrificio, de lo contrario yo lo ofrecería; no te agrada el holocausto. Los sacrificios de Dios son el espíritu contrito; al corazón contrito y humillado, oh Dios, no despreciarás".
Contrito, que siente contrición. En el sacramento de la penitencia, dolor y pesar de haber pecado ofendiendo a Dios.

Arrepentimiento de una culpa cometida

David sabía que tener una actitud humilde era la clave para gozar de la compañía de Dios, el conocía este secreto y por eso su vida fue de victoria. David pastoreaba las ovejas de su padre, era menospreciado por sus hermanos, pero Dios vio su corazón, vio un corazón sincero, un corazón humilde.

La humildad no es un acto externo, es el reconocer nuestra dependencia completa de Dios y la necesidad de su bendición para vivir. Si algo tenemos es porque Él nos lo ha dado.

David reconocía constantemente -en los salmos- que Dios era su refugio, su socorro, su salvación, su proveedor, su protección, su victoria, esta es la humildad "una actitud donde tu reconoces que nada puedes fuera de Dios y que no eres más que tu hermano, aunque estés en mejor situación". Es la misericordia de Dios que te sostiene. Veamos otra actitud que agrada a Dios:

3. La actitud de alabar a Dios en todo tiempo

Hebreos 13:15,16 Por tanto, ofrezcamos continuamente mediante El, sacrificio de alabanza a Dios, es decir, el fruto de labios que confiesan su nombre. Y no os olvidéis de hacer el bien y de la ayuda mutua, porque de tales sacrificios se agrada Dios. Salmo 34:1 Bendeciré a Jehová en todo tiempo; Su alabanza estará de continuo en mi boca.

Debes saber que en el antiguo testamento Dios demandaba de sacrificios agradables, pero estos consistían en ritos externos de animales o vegetales, ahora Dios demanda que a través de nuestro Señor Jesús que le demos sacrificios, pero espirituales, y uno de esos sacrificios es la Alabanza.

Recuerda que Dios busca adoradores que le adoren en Espíritu y en Verdad. La alabanza fortalece nuestra fe, la escritura declara en Romanos 4:20 que Abraham se fortaleció en fe dando gloria a Dios.

Dios habita en medio de la alabanza de su pueblo, (porque es algo que le agrada). Él quiere habitar en medio nuestro y manifestar su gloria y por eso demanda alabanza continua de nosotros, la alabanza debe ser parte de nuestro diario vivir, David sabía este secreto, miremos:

Salmo 146:1 ¡Aleluya! Oh alma mía, alaba al Señor. Alabaré al Señor mientras yo viva; cantaré alabanzas a mi Dios mientras yo exista.

Si lees el Salmo 146 te darás cuenta de que David sabia lo poderosa que es la alabanza.

El rey de Judá, Josafat supo esta tremenda realidad y en una ocasión cuando un ejército más fuerte (moabitas y amonitas) venía hacia El para destruirlo (2 Crónicas 20), Él se humilló y buscó la ayuda del "Señor en ayuno y oración" y reconoció que sin la ayuda de Dios morirían, esta fue una actitud de humildad, y al mismo tiempo de Fe porque buscó a Dios.

Él respondió a Josafat y todo el pueblo adoró y alabó a Dios, y el Señor peleó por ellos y les dio la victoria, esta es la actitud que le agrada a Dios, que le alabemos por sus proezas y por sus grandezas. Sigamos viendo otra actitud que agrada a Dios:

4. La Actitud de Ayudarnos Mutuamente

En el texto anterior de Hebreos 13:15-16 vemos también que a Dios le agrada la ayuda mutua.

(Recuerda que la forma de vida que agrada a Dios es aquella que testifica de Su Carácter).

Ayudar a nuestros hermanos es un testimonio del amor de Dios,-es mostrar Su Carácter en nuestra vida-

1 Juan 3:16-18 "En esto conocemos el amor: en que Él puso su vida por nosotros; también nosotros debemos poner nuestras vidas por los hermanos. Pero el que tiene bienes de este mundo, y ve a su hermano en necesidad y cierra su corazón contra él, ¿cómo puede morar el amor de Dios en él? Hijos, no amemos de palabra ni de lengua, sino de hecho y en verdad. "

Así es, cuando ayudas a tu hermano estás testificando -no con palabras sino con hechos- del amor de Dios en tu vida y Jesucristo está siendo glorificado: Mateo 5:16 "Así brille vuestra luz delante de los hombres, para que vean vuestras buenas acciones y glorifiquen a vuestro Padre que está en los cielos."

El amor de Dios se manifiesta en la ayuda mutua, eso le agrada al Señor, pero él no ayudar a los demás es algo desagradable delante de Dios.

Mateo 25:41-45 Entonces dirá también a los de su izquierda: "Apartaos de mí, malditos, al fuego eterno que ha sido preparado para el diablo y sus ángeles. "Porque tuve hambre, y no me disteis de comer, tuve sed, y no me disteis de beber; fui forastero, y no me recibisteis; estaba desnudo, y no me vestisteis; enfermo, y en la cárcel, y no me visitasteis." Entonces ellos también responderán, diciendo: "Señor, ¿Cuándo te vimos hambriento, o sediento, o como forastero, o desnudo, o enfermo, o en la cárcel, y no te servimos?" El entonces les responderá, diciendo: "En verdad os digo que en cuanto no lo hicisteis a uno de los más pequeños de éstos, tampoco a mí lo hicisteis".

Nota que Dios los enviará al lago de fuego no por sus pecados o por falta de ayuno y oración, los enviará porque no ayudaron a sus hermanos necesitados. Dios es amor por eso Él se agrada de la ayuda mutua. ¿Ayudas tú a tú hermano? Recuerda que es mejor cosa dar que recibir (Filipenses 4:18).

5. La Actitud de Apartarnos de toda maldad

Si lees Isaías 56:1-7 veras que el Señor se agrada de que nos apartemos de hacer mal alguno y que al contrario nos mantengamos firmes en el pacto que hizo con nosotros (a través de la sangre de Cristo), Apartarnos de todo mal significa que en nuestra vida reflejemos a Cristo, que seguimos su ejemplo:

2 Timoteo 2:19 No obstante, el sólido fundamento de Dios permanece firme, teniendo este sello: El Señor conoce a los que son suyos, y: Que se aparte de la iniquidad todo aquel que menciona el nombre del Señor.

El Apóstol Pablo hace un resumen de las cosas malas a las cuales debemos renunciar como hijos de Dios y también el Apóstol Pedro. Ambos nos exhortan a dejar el mal y a buscar que es lo que le agrada a Dios:

Efesios 5:1-9 Sed, pues, imitadores de Dios como hijos amados; y andad en amor, así como también Cristo os amó y se dio a sí mismo por nosotros, ofrenda y sacrificio a Dios, como fragante aroma. Pero que la inmoralidad, y toda impureza o avaricia, ni siquiera se mencionen entre vosotros, como corresponde a los santos; ni obscenidades, ni necedades, ni groserías, que no son apropiadas, sino más bien acciones de gracias. Porque con certeza sabéis esto: que ningún inmoral, impuro, o avaro, que es idólatra, tiene herencia en el reino de Cristo y de Dios. Que nadie os engañe con palabras vanas, pues por causa de estas cosas la ira de Dios viene sobre los hijos de desobediencia. Por tanto, no seáis partícipes con ellos; porque antes erais tinieblas, pero ahora sois luz en el Señor; andad como hijos de luz (porque el fruto de la luz consiste en toda bondad, justicia y verdad), 10 examinando qué es lo que agrada al Señor.

1 Pedro 4:1-5 Por tanto, puesto que Cristo ha padecido en la carne, armaos también vosotros con el mismo propósito, pues quien ha padecido en la carne ha terminado con el pecado, para vivir el tiempo que le queda en la carne, no ya para las pasiones humanas, sino para la voluntad de Dios. Porque el tiempo ya pasado os es suficiente para haber hecho lo que agrada a los gentiles, habiendo andado en sensualidad, lujurias, borracheras, orgías, embriagueces y abominables idolatrías. Y en todo esto, se sorprenden de que no corráis con ellos en el mismo desenfreno de disolución, y os ultrajan; pero ellos darán cuenta a aquel que está preparado para juzgar a los vivos y a los muertos.

Resumen

Sí amado hermano, estas actitudes de maldad no pueden tener cabida en nosotros, el evangelio al cual hemos sido llamados es vivir como nuestro Señor Jesús, una vida que testifica de Dios, una vida agradable delante de Dios, ese es el propósito de "meditar en la Palabra y ponerla por obra". (nota) Nos convertimos; en lo que nos enfocamos, en lo que vemos, en lo que pensamos, en lo que hablamos y en lo que escuchamos.

Trabajemos, -junto al Espíritu Santo-, para llevar una vida AGRADABLE AL SEÑOR.

Jesucristo viene por una Iglesia que su testimonio es agradable para Dios, si lees el Apocalipsis, El Señor dice "conozco tus obras", o sea, ÉL SABE PERFECTAMENTE EN QUÉ ANDAMOS, CÓMO ES NUESTRA VIDA.

Los que nos iremos en el arrebatamiento somos los que, al igual que Enoc, agradamos a Dios con nuestra vida, con nuestro testimonio:

Hebreos 11:5 Por la fe Enoc fue trasladado al cielo para que no viera muerte; y no fue hallado porque Dios lo traslado; porque antes de ser trasladado recibió testimonio de haber agradado a Dios.

Conclusión:

¿Observaste? Enoc tuvo fe, el ingrediente elemental, si lees en Génesis 5:24 te darás cuenta de que Enoc caminó con Dios, es decir, vivió una vida en íntima comunión con el Señor. Una vida dependiente de Dios. Esto es humildad. De seguro que también alababa a Dios continuamente. En resumen, vivió agradando a Dios y por eso Dios se lo llevó sin ver muerte. A esto fuimos llamados en Cristo Jesús, a que Dios pueda hacer de nuestra vida un testimonio que glorifique Su Nombre (Hebreos 13:20-21). Dios quiere darte todo, pero antes quiere que tu vida sea un testimonio vivo de Él. ¿Por qué no empezar esta semana a aplicar -de manera bien práctica- estas 5 actitudes?

Una Fe inquebrantable

"A Dios no lo mueve tu necesidad a Dios lo mueve tu FE."

Cuando desarrollamos una fe sólida seremos capaces de entregarnos a los brazos del Maestro y cumplir con nuestro llamado.

Los Hombres y Mujeres de Fe nada los desenfoca, nada ni nadie los apartan del amor de Dios que es en Cristo Jesús Señor nuestro. (Romanos 8:35~39) Hebreos 11:1 dice de la fe: "Es, pues la fe, la certeza de lo que se espera, la convicción de lo que no se ve". Esta definición apostólica apunta a dos afirmaciones sobre la fe: el poder saber en dónde estamos y hacia dónde apuntamos cuando la usamos.

La primera declaración afirma que la fe es la certeza de las cosas que se esperan. Hace la fe tan real que la define como certeza, palabra que en su original significa fundamento, aquello que está debajo sirviendo como base. Si observamos cualquier edificio, veremos que está sostenido por un fundamento, que es el que le da seguridad. Del mismo modo, la certeza da seguridad a lo que crees, de manera que, si crees y tu fundamento es la fe, tendrás aquello que crees.

La segunda declaración de la fe es la convicción de las cosas que no se ven. Quiero que observes con atención que la fe está enlazada a lo invisible y la palabra apunta a hacer la diferencia entre lo visible y lo invisible. La mente a través del Espíritu de Dios pone en alerta al creyente para que vea la delgada línea entre lo visible y lo invisible.

Nuestros sentidos nos conectan siempre con el mundo visible; palpar las cosas, verlas, levantarlas, todo eso es parte de lo visible, de la vida cotidiana. Y no es que eso sea malo, pero la fe nos hace traer de lo invisible a lo visible. La diferencia ahora es que ya no partimos de lo que vemos en el mundo tangible, sino que partimos de lo que vemos en el mundo invisible, tal como lo señala Hebreos 11:3 "Por la fe entendemos haber sido constituido el universo por la palabra de Dios, de modo que lo que se ve

47

fue hecho de lo que no se veía". Dios le dijo a Abraham Yo llamo las cosas que no son, como si fueran o las cosas que no existen, como si existieran. Y que da vida a los muertos (Romanos 4:17).

Andar por fe es contrario a nuestra forma natural de pensar. Cuando una persona en Cristo determina andar por fe, rompe la forma natural de pensar y eso puede generar conflictos. En ocasiones, dentro de nuestra propia casa, con nuestros amigos, cuando tenemos que hablar de temas que tienen que ver con el mundo invisible en el funcionamiento de la fe, no faltará quien quiera imponer lo visible. Testifico de cuando Dios me habló un día en la ducha: EL Señor habló a mi espíritu ese día, diciéndome que me comenzaría a usar de una manera que muchos no me iban a entender, pero que le obedeciera en todo lo que El dijera que hiciera. Desde que he obedecido en TODO lo que Dios me ha ordenado, he visto su Gloria, su Poder y su Soberanía.

Entonces tendremos que decidir a quién hacemos caso, si a la forma natural de ver las cosas o a la forma espiritual, que es por fe y no por vista (2 Corintios 5:7). Si andamos por vista no necesitamos de fe, y esto es cuestión de decisión. Si andamos por fe no necesitamos la vista, porque una excluye la otra. Aquí cabe la pregunta: ¿de qué lado estamos? Se trata de comparar lo uno con lo otro entendiendo que al activar la fe anulamos la vista, pero al activar la vista hacemos aparte la fe. He visto cómo muchas personas han tenido experiencias saludables por vista; lo malo es que la vista no da sustento, porque no tiene una plataforma; por eso encontramos gente que adquirió todo en la vida y en un momento lo perdió. Hay un punto crucial en cuanto a lo que se puede alcanzar por vista: no se traduce en ninguna satisfacción que contribuya a lo eterno y al Reino de Dios.

Ejemplos de fe inquebrantable:

Testimonio: "Mi Milagro"

En el mes de Diciembre el día 12 del año 2012; si 12/12/12, una fecha que jamás podré olvidar fue el día que el Señor contestó mi oración o petición de sanidad de mi condición de los ojos. Recuerdo que ese día tenía mi cita con el doctor de los ojos, el oftalmólogo y antes de salir de mi hogar estando orando en mi lugar secreto o en mi aposento, cuarto de guerra (War Room) pedí a mi Padre Celestial sanarme en el nombre de Jesús mi Salvador y Señor. El me visitó manifestando su poder sanador en mí, sanándome, y lo que le pedí con fe me fue concebido, por mi Dios Todopoderoso; ya que el doctor que examinó mis ojos; por sus labios, confirmó mi sanidad diciéndome que no tenía ningún problema en mi vista. Pude ver una vez más el producto de la fe.

Quiero enfatizar lo que la Palabra de Dios dice o declara en Proverbios 18:21; La muerte y la vida están en poder de la lengua. Nosotros los hijos de Dios estamos llamados a hablar el lenguaje de la Fe y no el lenguaje de este mundo. Dios nos aconseja que renovemos nuestra mente con el poder de la Palabra "Todos" los días, meditemos, hablemos, memoricemos, y sobre todo la apliquemos a nuestro diario vivir y es cuando seremos transformados de cristianos conformistas u ordinarios en cristianos que sigan el legado de nuestro Maestro Jesús, un legado de Fe, Unción y Poder en donde se cumplirá las palabras que vemos en el Evangelio de Juan 14:12~14; "De e cierto, de cierto os digo: El que en mí cree; las obras que yo hago, el las hará también; y aún mayores hará, porque yo voy al Padre. Y todo lo que pidiereis al Padre en mi nombre, lo hare, para que el Padre ser glorificado en el Hijo. Si algo pidiereis en mi nombre, yo lo hare."

El orden bíblico o principio es creer antes que ver, "llamar las cosas como si fueran", como Dios le hablo a Abraham; "Yo Soy el Dios que llamo la cosas como si fueran y como consecuencia de ello, recibimos un sinnúmero de bendiciones. En Hebreos 11:27 dice: "Por la fe dejó a Egipto, no temiendo la ira del rey; porque se sostuvo como viendo al Invisible". Cuando la fe se activa, el temor se va, dado que la fe nos eleva a otro nivel y nos sostiene cuando nuestra mirada está en el Invisible.

La Biblia nos cuenta testimonios reales de hombres y mujeres que entraron en esa esfera de contemplar lo invisible y vale la pena citar algunos de ellos:

1) Abel. El texto nos indica que por la fe Abel ofreció sacrificio más excelente que Caín. Yo creo que lo que los dos trajeron al altar para dar a

Dios tenía valor, pero lo que marcó la diferencia fue la actitud de quien trajo la ofrenda; Caín ofreció sacrificio por vista y Abel lo hizo por fe. Algunas personas esperan que haya una gran necesidad para dar, para ofrendar, para ser generosos. Mi concepto es que demos antes de que se necesite, porque el registro del beneficio es mucho más grande cuando nos sentimos obligados a hacerlo aun cuando no se haya expresado la necesidad; allí se muestra predisposición al Reino. Dar es un acto de generosidad en fe y nace de un corazón agradecido.

2) Enoc. El texto dice que por la fe Enoc fue traspuesto para no ver la muerte. Este es el primer caso de alguien que salió de la vida humana sin morir, de abandonar el cuerpo como símbolo de una resurrección, de ser transformado a un cuerpo incorruptible y trasladado en un instante a otra dimensión de vida. Enoc fue transpuesto para no ver la muerte y esto lo alcanzó solo por la fe.

3) Noé. Por la fe Noé preparó el arca en la cual su núcleo familiar sería salvado del gran diluvio. Noé tuvo predisposición a trabajar, construir, porque su propósito era salvar a los de su casa. En este punto vale la pena incorporar la fe para salvar a la familia, sin importar las luchas, dificultades o desavenencias que hayan ocurrido. Como miembro de tu familia, prepara el arca de la fe y aun cuando algunos de los integrantes de ella hayan sido lastimados por cualquier circunstancia, prepara el arca, porque al final tú eres el que va a recoger a tus hijos para protegerlos del mal.

4) Abraham. Por la fe Abram obedeció y salió al lugar que había de recibir como herencia. En este caminar misionero, he visto que aun para obedecer se requiere fe, pues no es fácil rendirnos en obediencia. Mateo 8:13 dice: "Entonces Jesús dijo al centurión: Ve, y como creíste, te sea hecho. Y su criado fue sanado en aquella misma hora". También en Mateo 9:29 se afirma: "Entonces les tocó los ojos, diciendo: conforme a vuestra fe os sea hecho"; de nuevo Jesús hablaba de una sanidad que se produce mediante la fe. Un texto más, en Juan 11:39-40, registra la siguiente conversación: "Dijo Jesús: Quitad la piedra. Marta, la hermana del que se había muerto, le dijo: Señor, hiede ya, porque es de cuatro días". Así es la vista, y Marta responde por lo que ve; pero el texto sigue: "Jesús le dijo: ¿No te he dicho que, si crees, verás la gloria de Dios?".

No sé en qué área de tu vida tienes un caso imposible, una piedra en la puerta de la tumba que no permite que se dé el milagro. La vista te dice que ya no es posible porque ya pasó mucho tiempo y desfalleces en tu fe, pero la palabra viene a darte vida otra vez. Y si crees, habrá resurrección; si crees, tus finanzas resucitarán; si crees, tus sueños que estaban congelados se descongelarán; si crees, las deudas que tienes serán pagadas; y solo si crees, tus necesidades y problemas serán resueltos. Filipenses 4:19 la Palabra de Dios nos dice; Mi Dios, pues, suplirá todo lo que os falta conforme a sus riquezas en gloria en Cristo Jesús.

Veremos la gloria de Dios cuando creemos en su Palabra. El conflicto entre la vieja naturaleza y la nueva se hará presente permanentemente, porque la primera exige "ver para creer" —como lo legitima el refrán popular—, pero la segunda, creer para ver. Si puedes creer, no habrá montaña que pueda permanecer de pie delante de ti y esta es la nueva forma de vida que Cristo nos propone. "La vieja naturaleza exige ver para creer, la nueva, creer para ver". Cuando tu fe actúe, va a alinear gente, empresas, negocios que estarán a tu disposición para financiar tu proyecto.

Hay diferencia

¿Cómo se conjuga la fe con la esperanza? ¿Cómo funcionan juntas? ¿Qué diferencia hay entre una y otra? ¿Cómo sacar mejor provecho de la fe acompañada de la esperanza?

Muchos hijos de Dios se sienten frustrados con la oración porque después de haber pasado horas enteras clamando, no sienten que hayan obtenido respuesta adecuada. Saben orar, cómo venir reverentemente ante el Señor, tienen argumentos lógicos al hablar con Dios, pero no perciben que fluya la respuesta que necesitan para un momento determinado, y eso los lleva a la frustración. Su falla consiste en orar con esperanza y no con fe.

Debemos saber la diferencia entre fe y esperanza para no utilizar inadecuadamente la una o la otra. Hay palabras que están tan próximas que parecieran iguales, pero no lo son. Sé que muchos dan un gran valor a la oración con esperanza; sin embargo, son diferentes, tanto en su uso como en los resultados. Los resultados prometidos por Dios al usar la fe no son los mismos para la esperanza. La fe se activa en el espíritu, mientras que la esperanza lo hace en la mente.

El origen de la fe no es cerebral o censo-cognitivo, así como tampoco censo-emocional. La fe bíblica tiene su origen en el espíritu del hombre, que es el que le da la vida. Nuestra composición es espíritu, alma y cuerpo, y siempre desarrollamos más nuestro lado almático sin considerar los beneficios de la conexión espiritual. Nuestro espíritu tiene la facultad, dada por Dios, de desarrollar un potencial inmenso usando la fe. Romanos 10:17 dice: "Así que la fe es por el oír, y el oír, por la Palabra de Dios". Cuando al exponernos a La Palabra de Dios verbalizada o leída, no llega a nuestro intelecto como tal, aun cuando ahí recibimos conocimiento y procesamos la información que recibimos por los sentidos, ella es capturada por el cerebro y llega al espíritu activando la fe, que es una facultad del espíritu, de tal manera que quien la use lo hará con resultados extraordinarios.

Ahora, cuando el Espíritu de Dios cubre la vida de una persona no inicia por el intelecto, por la razón o por el ser pensante. El Espíritu de Dios comienza su obra en el espíritu del hombre y esa unión hace que dé fruto; dentro de ese racimo está la fe: "Mas el fruto del Espíritu es amor, gozo, paz, paciencia, benignidad, bondad, fe…" (Gálatas 5:22); Habacuc dice que el justo por su fe vivirá (Habacuc 2:4), aseverando que es propiedad del que la posee.

Asimismo, cuando Jesús sobre la fe preguntó: "¿Dónde está vuestra fe?" (Lucas 8:25), con lo que pedía cuentas de lo que le fue efectivamente ofrecido y entregado al ser humano. La expresión "creer para" implica movimiento o transición, de manera que una vez que esa fe sea activada en el espíritu, se pondrá en movimiento, pasará por transición y obrará transformaciones hasta llegar a su resultado.

La fe no es estática; siempre se expresa en movimiento, mudanza y actividad. Cuando actives la fe, estarás en movimiento, en actividad y nunca esperarás a que sucedan los hechos fortuitamente, pues caminarás con la fe que fue activada en tu espíritu. Si realmente crees, serás

52

transformado por aquello en lo que creíste y ese será el indicador de tu nivel de fe. Soy misionero en las cárceles porque le creí a una palabra que me dieron de parte de Dios en el 1992. Todo lo que sucede en el trascurso de nuestra vida es el resultado de lo que se dio en nuestro espíritu. La fe activada en el espíritu determina cómo vivimos, cómo nos movemos en el diario vivir y aun se refleja en cómo hablamos y en cómo prestamos nuestros oídos a determinadas cosas. La forma en que vivimos y vemos las cosas es cuestión de decisión personal; somos nosotros quienes decidimos si colocamos nuestra vida bajo la fe o fuera de ella. A mí me ha sido de gran bendición el hecho de permanecer en la fe.

La fe no puede ser un simple concepto intelectual visto o analizado por alguien, ya que no puede ser concebida en el intelecto. La fe es una fuerza activa y real que trabaja desde el espíritu, guiando el alma y el cuerpo. Cuando ella gobierna, aun nuestro cuerpo es bendecido; en fe, podemos hablarle declarando sanidad desde la cabeza hasta la planta de nuestros pies. El cerebro tiene gobierno sobre el cuerpo (por eso tenemos que renovar nuestra mente con la Palabra de Dios todos los días).

Usa correctamente los recursos que Dios te ha dado. Deja que la fe, que es activada en tu espíritu, afecte tu alma, tus emociones y tu cerebro, y cuando des órdenes a tu cuerpo, hazlo con base en la fe, pues ella es la certeza de lo que se espera, la base que sustenta, el fundamento que soporta el peso de la estructura. Esta certeza establece la base para la esperanza, la cual se activa en la mente; sin embargo, cuando esa esperanza es activada en la mente, pero sin fe, hay peligro de decepción. Primera de Tesalonicenses 5:8 dice: "Pero nosotros, que somos del día, seamos sobrios, habiéndonos vestido con la coraza de fe y de amor, y con la esperanza de salvación como yelmo". La fe es coraza, pero la esperanza es como un casco que protege la cabeza. Cuando la fe se activa también se activa la esperanza; la fe te cubre como armadura, además te cubre la cabeza como esperanza para proteger la mente. Hacer la diferencia entre la fe y la esperanza no es disminuir el valor de la esperanza. Solo debemos conocer cómo funciona la una y la otra. La esperanza en el sentido bíblico es la expectativa para alcanzar el bien; protege nuestra mente de pensamientos negativos y de los pronósticos que amenazan el futuro.

Si tenemos esperanza, no necesitamos consultar el horóscopo ni a brujos o agoreros, porque la misma esperanza nos marca un futuro seguro. Si a través de ella podemos ver nuestro futuro, no habrá nada que nos haga andar inseguros, tristes o afanados por lo que vendrá, pues si la esperanza nos muestra el porvenir, entonces lo que no combine con este será transitorio y temporal, pero la esperanza es permanente y trae estabilidad. Los hijos de Dios necesitamos estar muy atentos para que la esperanza no pierda su fundamento en la fe, con la cual debe ir unida, pues sin ella, la esperanza no obra. Si la esperanza se activa en la mente sin fe, es falsa y peligrosa, porque no tendrá la plataforma para sostenerse en tiempos difíciles. Recordemos que la fe es la base, el fundamento para la esperanza, que a su vez no tiene valor espiritual cuando se da sin estar unida a la fe. Fe más esperanza es igual a futuro asegurado.

La fe siempre actúa en el presente, mientras que la esperanza se enfoca al futuro. La fe es certeza, algo que ya existe en el mundo sobrenatural donde tú y yo podemos penetrar. El cielo se abre cuando alguien se proyecta en fe. Hay puertas con códigos muy secretos y solo las traspasan los que tienen fe; se abren cuando identifican al hombre o a la mujer de fe marcados por una Palabra que les dio esperanza. Cuando nos sumergimos en tal ambiente, podemos tomar posesión de todo lo que queramos.

La fe es instantánea, pero sus resultados son progresivos. He estado en lo progresivo por muchos años, y todavía me falta; sin embargo, no abandono la fe, pues ella me lleva a abrir puertas y me da seguridad de un futuro de conquistas. Marcos 11:22-24 dice: "Respondiendo Jesús, les dijo: Tened fe en Dios. Porque de cierto os digo que cualquiera que dijere a este monte: quítate y échate en el mar, y no dudare en su corazón, sino creyere que será hecho lo que dice, lo que diga le será hecho". La fe está en mi espíritu y la palabra está en mi boca. Aun el texto es enfático al decir: "Por tanto, os digo que todo lo que pidiereis orando, creed que lo recibiréis, y os vendrá". Eso es algo progresivo que viene a medida que transcurren los acontecimientos. Cuando la fe está en contacto con Dios actuará en el presente y asegurará el futuro. "Y ahora permanecen la fe, la esperanza y el amor" (1 Corintios 13:13). Pongamos en armonía nuestra fe con la esperanza para sacar el mejor provecho de ellas.

¿Cómo vivir por Fe?

El justo por la fe vivirá. Es la declaración de la palabra de Dios, en cuanto a la vida que debemos llevar los verdaderos cristianos, es decir los hombres y mujeres de fe, una frase muy hermosa y emotiva, muy usada y predicada, pero ¿Qué significa y cómo podemos llevarla a la vida practica en nuestra vida?

Podríamos llegar a muchas definiciones, y estoy seguro de que muchos eruditos tienen mucho que decir, pero para no caer en simples teorías, mejor vayamos a la fuente o usemos las mismas, simples pero poderosas definiciones que la Palabra de Dios tiene que dar en cuanto a lo que significa: "Vivir por fe"

I. Primera definición: se encuentra en 2 Corintios 5:7. "porque por fe andamos, no por vista." Vivir por fe significa: No vivir basados solamente a nuestros sentidos, ver, presentir, corazonadas, etc.

No podemos vivir basados en lo que sentimos, tampoco basados en nuestras emociones, ellas son como un carrusel, siempre andan subiendo y bajando, hoy estas triste, mañana animado, pasado llorando, y el fin de semana, riendo. Dios quiere que vivas y andes por fe, no por vista, no importa cuán seguro y verdadero sea la apariencia de algo, un salario, un cheque, un negocio, una carrera produce, si vives de acuerdo a lo que ves y lo que eso te produce sentir, serás como hombre en el desierto que mira ilusiones, con el tiempo, todo en este mundo perece, y nada te garantiza que lo material, lo visible sea para siempre. APRENDE A VIVIR POR FE Y NO POR VISTA.

II. Segunda definición: Habacuc 2:4 He aquí que aquel cuya alma no es recta, se enorgullece: más el justo por su fe vivirá. VIVIR POR FE SIGNIFICA: No vivir basado en la razón propia o la lógica humana, sino la obediencia a Dios.

Muchas cosas que Dios ha prometido en su Palabra ante los ojos del mundo, que solo vive por la vista, no son ni razonables ni lógicas, porque el hombre moderno carece de fe. El cielo, el regreso de nuestro Señor Jesucristo, la salvación, La Biblia, etc., el hombre de hoy se burla de todo esto ... pero tú y yo, no debemos vivir de acuerdo, ni nuestra razón humana, debemos vivir por fe, creyendo plenamente, convencidos, seguros de lo que ha dicho Dios es verdad, Porque lo es. "Yo Le Creo A Dios: ¿y tú?

Ejemplos de hombres de fe

1. Abraham no actuó por la razón. Cuando el Señor le pidió que sacrificara a Isaac, el simplemente OBEDECIO. La Palabra de Dios dice que, creyó Abraham a Dios y le fue contado por justicia. Abraham tenía la suficiente fe en Dios para creer que, si Isaac moría, el Señor le resucitaría, de donde en sentido figurado, así le recibió, dice la Escritura en Hebreos 11:17-19.

2. Moisés no vivió de acuerdo a la sabiduría egipcia (humana), él vivió por la fe en Dios, movido por esa fe, renunció ser llamado hijo de la hija de Faraón y renunció a todos los lujos y privilegios de príncipe poderoso (Hebreos 11:24). ¿A que tenemos que renunciar para vivir por fe? ¿Qué está impidiendo que aprendamos a vivir por fe?, son preguntas profundas que no debemos preguntar en nuestra autoevaluación de nosotros mismos, para que analicemos si estamos agradando al Señor o no, porque sin fe es imposible agradar a Dios (Hebreos 11:6). Sin fe no podremos ver la gloria y el poder de Dios actuando en nuestras vidas y la de los demás siendo bendecidas a través de nosotros para su gloria y honra. Porque de Dios es el PODER (Salmo 62:11).

Moisés fue impulsado por el motor de la fe: Por la fe Moisés, hecho ya grande, rehusó llamarse hijo de la hija de Faraón, escogiendo antes ser maltratado con el pueblo de Dios, que gozar de los deleites temporales del pecado, teniendo por mayores riquezas el vituperio de Cristo que los tesoros de los egipcios; porque tenía puesta la mirada en el galardón. Por la fe dejo a Egipto, no temiendo la ira del rey; porque se sostuvo como viendo al invisible (Hebreos 11:24-27).

3. Noé: no vivió, según la lógica de este mundo, él vivió según la fe en Dios. Por la fe Noé, cuando fue advertido por Dios acerca de cosas que aún no se veían, con temor preparo el arca en que su casa se salvase; y por esa fe condeno al mundo, y fue hecho heredero de la justicia que viene por la fe (Hebreos 11:7).

Una fe que lo hizo trascender a su propio entendimiento, y que lo llevo a la obediencia. ¿Te das cuenta de que vivir por fe, no solamente es creerle a Dios, sino también OBEDECERLE? NO VIVAS DE ACUERDO AL RAZONAMIENTO MUNDANO, VIVE POR FE.

III. Tercera definición: Hebreos 10:38-39- Mas el justo vivirá por fe. Y si retrocediere, no agradara mi alma. Pero nosotros no somos de los que retroceden para perdición, sino de los que tienen fe para preservación del alma. VIVI POR FE SIGNIFICA: No vivir de acuerdo a las situaciones o circunstancias exteriores, como los problemas, necesidades, tentaciones, pecados o padecimientos etc.

Muchos cristianos viven de acuerdo a como se mueven las aguas, viven sus vidas como un termómetro simplemente se ajustan a la temperatura de la situación, no viven por fe, no quieren hacer la diferencia en el mundo que los rodea, por eso retroceden, Dios no quiere creyentes termómetros, quiere cristianos termostatos que influencien el ambiente, que vivan por fe. Así como fuiste salvo, por fe, así debes vivir, por esa misma fe, con esa misma fe, no vivas tu vida de acuerdo a corazonadas, o a oportunidades, o a presentimientos, el verdadero hijo de Dios debe vivir por fe, comer por fe, servir por fe, trabajar por fe, mantenerse por fe, conseguir del cielo sus necesidades y metas por fe (Colosenses 3:1-2), con la certeza, la seguridad, el convencimiento de que todo lo que Dios ha dicho es cierto y por fe lo veremos cumplirse una a una de sus promesas.

Te desafío No vivas de acuerdo a tus sentidos, no vivas de acuerdo a la lógica humana, no vivas de acuerdo a las situaciones que se presentan, si eres hijo de Dios, salvo renacido, converso, vive por fe. SOLO PORELLA PODREMOS OBTENER LA VICTORIA: "Porque todo lo que es nacido de Dios vence al mundo; y esta es la victoria que ha vencido al mundo, NUESTRA FE." (1 de Juan 5:4).

Conclusión:

¿Amigo lector, si tu murieras en este mismo momento tienes la seguridad al 100% que tu alma iría al cielo? Solo por fe en Cristo Jesús puedes ser salvo(a).

Síntomas de la Apostasía

Pero el Espíritu dice claramente que en los postreros tiempos algunos apostatarán de la fe, escuchando a espíritus engañadores y a doctrinas de demonios; por la hipocresía de mentirosos que, (tienen) cauterizada la conciencia (1 Timoteo 4: 1-2).

Casi toda enfermedad antes de manifestarse muestra algunos síntomas provistos por Dios para dejar saber a la persona que está a punto de enfermarse y que necesita hacer algo inmediatamente. Apostata es alguien que deja el camino de la verdad. Antes de que alguien se convierta en apostata o deje el camino de la verdad, comenzará a mostrar síntomas que se dejaran ver en su vida diaria; estos síntomas anuncian y tratan de advertir al cristiano que, si no hace algo inmediatamente, se convertirá en apostata.

1. Desinterés por las disciplinas espirituales (Falta de oración, lectura, ayuno) "Es verdad que ninguna disciplina al presente parece ser causa de gozo, sino de tristeza; pero después da fruto apacible de justicia a los que en ella han sido ejercitados." (Hebreos 12: 11).

"Velad y orad, para que no entréis en tentación; el espíritu está dispuesto, pero la carne es débil." (Marcos 14: 38). "Porque el deseo de la carne es contra el Espíritu, y el del Espíritu es contra la carne; y éstos se oponen entre sí, para que no hagáis lo que quisiereis." (Gálatas 5: 16-17).

2. Ausencia voluntaria a las actividades de la iglesia (Faltar por razones injustificadas a: los servicios de predicación, oración, escuela dominical, conferencias, servicios entre semana). "Considerémonos unos a otros para estimularnos al amor y a las buenas obras; no dejando de congregarnos, como algunos tienen por costumbre, sino exhortándonos; y tanto más, cuanto veis que aquel día se acerca." (Hebreos 10: 25).

3. Apatía religiosa (Falta de participación en la adoración o servicio a Dios). "Dijo: Vete de mí, Satanás, porque escrito está: Al Señor tu Dios adorarás, y a él solo servirás." (Lucas 4: 8). "Cantad alegres a Dios, habitantes de toda la tierra. Servid a Jehová con alegría; Venid ante su presencia con regocijo." (Salmos 100: 1-2). "Ahora, pues, Israel, ¿qué pide Jehová tu Dios de ti, sino que temas a Jehová tu Dios, que andes en todos sus caminos, y que lo ames, y sirvas a Jehová tu Dios con todo tu corazón y con toda tu alma?" (Deuteronomio 10: 12).

4. Desinterés por las almas perdidas (No evangelizar, no invitar personas a la iglesia, no ayudar a los misioneros). "Y (Jesús) les dijo: Id por todo el mundo y predicad el evangelio a toda criatura." (Marcos 16: 15).

5. Perdida de interés por el compañerismo de personas espirituales (Dejar de juntarse con cristianos espirituales y maduros, buscar la compañía de hermanos fríos, carnales con malos hábitos y costumbres). "El que anda con sabios, sabio será; Mas el que se junta con necios será quebrantado." (Proverbios 13:20).

6. Rechazo del consejo (No escucha el consejo o se molesta cuando se le aconseja). "Camino a la vida es guardar la instrucción; Pero quien desecha la represión, yerra." (Proverbios 10: 17). "El que ama la instrucción ama la sabiduría; Mas el que aborrece la reprensión es ignorante." (Proverbios 12: 1) "El camino del necio es derecho en su opinión; Mas el que obedece al consejo es sabio." (Proverbios 12: 15).

7. Falta de sujeción a las autoridades (No respetar u obedecer las autoridades, revelarse al pastor o ministerio). "Sométase toda persona a las autoridades superiores; porque no hay autoridad sino de parte de Dios, y las que hay, por Dios han sido establecidas. De modo que quien se opone a la autoridad, a lo establecido por Dios resiste; y los que resisten, acarrean condenación para sí mismos." (Romanos 13: 1-2).

8. Espíritu de crítica (Dar demasiado énfasis a los errores de los demás, hablar de los errores de otros). "Si alguno se cree religioso entre vosotros, y no refrena su lengua, sino que engaña su corazón, la religión del tal es vana." (Santiago 1: 26).

9. Falta de humildad (Exceso de estimación propia, sentirse más que los demás, no saber humillarse ante: cónyuge, hermanos o padres; no reconocer cuando se equivoca u ofende a alguien). "He aquí que aquel cuya alma no es recta, se enorgullece; mas el justo por su fe vivirá." (Habacuc 2: 4). "Nada hagáis por contienda o por vanagloria; antes bien con humildad, estimando cada uno a los demás como superiores a él mismo." (Filipenses 2: 3-4).

10. Falta de compasión por el dolor ajeno (No interesarse por ayudar a quien está en necesidad). "La religión pura y sin mácula delante de Dios el Padre es esta: Visitar a los huérfanos y a las viudas en sus tribulaciones, y guardarse sin mancha del mundo." (Santiago 1: 27).

11. Tendencia al libertinaje (Sujetarse lo menos posible a las reglas de Dios en cuanto al vestuario y las diversiones). "Porque algunos hombres han entrado encubiertamente, ... hombres impíos, que convierten en libertinaje la gracia de nuestro Dios, y niegan (así) a Dios el único soberano, y a nuestro Señor Jesucristo." (Judas 4: 4).

12. Avergonzarse por ser cristiano (Sentir vergüenza de cargar una Biblia u orar delante de los mundanos). "Porque el que se avergonzare de mí y de mis palabras, de éste se avergonzará el Hijo del Hombre cuando venga en su gloria, y en la del Padre, y de los santos ángeles." (Lucas 9: 26).

13. Creciente interés por las cosas materiales (Casa, carro, alimento, vestido—buscar más horas de trabajo). "Vosotros, pues, no os preocupéis por lo que habéis de comer, ni por lo que habéis de beber, ni estéis en ansiosa inquietud, Porque todas estas cosas buscan las gentes del mundo; pero vuestro Padre sabe que tenéis necesidad de estas cosas. Mas buscad el reino de Dios, y todas estas cosas os serán añadidas." (Lucas 12: 29-31).

14. Excesivo amor hacia los pasatiempos mundanos (Dedicar demasiado tiempo a la TV, deportes o paseos). "El ejercicio corporal para poco es provechoso, pero la piedad para todo aprovecha, pues tiene promesa de esta vida presente, y de la venidera." (1 Timoteo 4: 8).

15. Temperamento irritable e irrefrenable (Mal carácter, arranques de ira, demostraciones violentas, cambios repentinos de humor, enojo descontrolado). "Quítense de vosotros toda amargura, enojo, ira, gritería y maledicencia, y toda malicia." (Efesios 4: 31)."Todo hombre sea pronto para oír, tardo para hablar, tardo para airarse; porque la ira del hombre no obra la justicia de Dios." (Santiago 1: 19-20). "El necio da rienda suelta a toda su ira, Mas el sabio al fin la sosiega." (Proverbios 29: 11). "El necio al punto da a conocer su ira; Mas el que no hace caso de la injuria es prudente." (Proverbios 12: 16). "Vuestra gentileza sea conocida de todos los hombres. El Señor está cerca." (Filipenses 4: 5).

16. Falta de Gozo (Perdida de la alegría, vivir quejándose, tener una actitud negativa). "No os entristezcáis, porque el gozo de Jehová es vuestra fuerza." (Nehemías 8: 10). "Más el fruto del Espíritu es amor, gozo, paz, paciencia, benignidad, bondad, fe." (Gálatas 5: 22). "Regocijaos en el Señor siempre. Otra vez digo: ¡Regocijaos!" (Filipenses 4: 4).

17. Aumento del temor (Creciente miedo al futuro, la muerte; falta de fe, ansiedad, nerviosismo). "Porque no nos ha dado Dios espíritu de cobardía, sino de poder, de amor y de dominio propio." (2 Timoteo 1:7). "Echando toda vuestra ansiedad sobre él, porque él tiene cuidado de vosotros." (1 Pedro 5: 7). "Por nada estéis afanosos, sino sean conocidas vuestras peticiones delante de Dios en toda oración y ruego, con acción de gracias. Y la paz de Dios, que sobrepasa todo entendimiento, guardará vuestros corazones y vuestros pensamientos en Cristo Jesús." (Filipenses 4: 6).

Conclusión:

"Examinaos a vosotros mismos si estáis en la fe; probaos a vosotros mismos. ¿O no os conocéis a vosotros mismos, que Jesucristo está en vosotros, a menos que estéis reprobados?" (2 Corintios 13: 5).

El poder de la Palabra de Dios

La palabra de Dios no es cualquier cosa. Muchos tienen esta palabra contenida en una vieja y olvidada Biblia debajo de las revistas de programación de TV, ignorando su poder. Inclusive, muchos cristianos ignoran el potencial que tienen en sus manos.

¡La Palabra de Dios tiene poder!

Entre sus numerosas cualidades, la palabra de Dios tiene el poder de...

1. Crear: "Por la fe entendemos haber sido constituido el universo por la palabra de Dios, de modo que lo que se ve fue hecho de lo que no se veía" (Hebreos 11:3).

"Y dijo Dios: Sea la luz; y fue la luz" (Génesis 1:3).

2. Limpiar: "Ya vosotros estáis limpios por la palabra que os he hablado." (Juan 15:3).

3. Sanar: "Entrando Jesús en Capernaum, vino a él un centurión, rogándole, y diciendo: Señor, mi criado está postrado en casa, paralítico, gravemente atormentado. Y Jesús le dijo: Yo iré y le sanaré. Respondió el centurión y dijo: Señor, no soy digno de que entres bajo mi techo; solamente di la palabra, y mi criado sanará." (Mateo 8:5-8).

4. Convierte y salva: "Porque como desciende de los cielos la lluvia y la nieve, y no vuelve allá, sino que riega la tierra, y la hace germinar y producir, y da semilla al que siembra, y pan al que come, así será mi palabra que sale de mi boca; no volverá a mí vacía, sino que hará lo que yo quiero, y será prosperada en aquello para que la envié" (Isaías 55:10-11).

"Así que la fe es por el oír, y el oír, por la palabra de Dios" (Romanos 10:17).

"Pues ya que, en la sabiduría de Dios, el mundo no conoció a Dios mediante la sabiduría, agradó a Dios salvar a los creyentes por la locura de la predicación" (1 Corintios 1:21).

5. Es eficaz: Discierne y llega a lo profundo del alma:

"Porque la palabra de Dios es viva y eficaz, y más cortante que toda espada de dos filos; y penetra hasta partir el alma y el espíritu, las coyunturas y los tuétanos, y discierne los pensamientos y las intenciones del corazón" (Hebreos 4:12).

6. Alimenta: "Él respondió y dijo: Escrito está: No sólo de pan vivirá el hombre, sino de toda palabra que sale de la boca de Dios" (Mateo 4:4).

7. Vivifica: "Afligido estoy en gran manera; Vivifícame, oh Jehová, conforme a tu palabra" (Salmo 119:107).

8. Reprende al diablo: "Otra vez le llevó el diablo a un monte muy alto, y le mostró todos los reinos del mundo y la gloria de ellos, y le dijo: Todo esto te daré, si postrado me adorares. Entonces Jesús le dijo: Vete, Satanás, porque escrito está: Al Señor tu Dios adorarás, y a él sólo servirás. El diablo entonces le dejó; y he aquí vinieron ángeles y le servían." (Mateo 4:8-11). Y muchas cosas más...

Para finalizar, hoy en día muchos hermanos en Cristo han dejado de lado la palabra de Dios, ignorando su gran poder. Existe una tendencia bastante preocupante, que se da muy especialmente en ministerios grandes y sobre todo en jóvenes, y consiste en que muchos han puesto en primer lugar a la alabanza, la adoración, la música, el teatro... y la Biblia ha quedado (en el mejor de los casos) en un segundo plano.

Obviamente no digo que sea malo tocar instrumentos y alabar a Dios, (de hecho, soy un apasionado por la música) pero lo que sí es malo es cuando la predicación pasa a ser un tema secundario, ya que las emociones y lo vibrante de la música pasa, pero la Palabra queda para siempre, además de hacer cosas extraordinarias con su poder.

¿Cómo estás ocupando tu Biblia? ¿Estás consciente del poder que puedes usar?

"Porque la Palabra de la cruz es locura a los que se pierden; pero a los que se salvan, esto es, a nosotros, es poder de Dios." (1 Corintios 1:18)

Conclusión:

Recuerda lo que la Palabra de Dios nos advierte en Proverbios 18:21;" La muerte y la vida están en poder de la lengua; Y el que la ama comerá de sus frutos.

Te conviertes en lo que te enfocas, piensas, escuchas, miras (los ojos son las lámparas del ALMA) y sobre todo lo hablas. "Sobre toda cosa guardada, guarda tu corazón; porque de él, mana la vida." Por eso es indispensable que renovemos nuestra mente con la Palabra de Dios, según nos educa y exhorta la Palabra en Romanos 12:2; "Y no os adaptéis a este mundo, sino transformaos mediante la renovación de vuestra mente, para que verifiquéis cual es la voluntad de Dios: lo que es bueno, aceptable y perfecto."

El enemigo de nuestras almas es muy astuto, pero nosotros tenemos la Unción del Santo; 1 Juan 2:20 "Pero vosotros tenéis la unción del Santo, y conocéis todas las cosas." El enemigo trabaja con la parte emocional de las personas y más en especial con los cristianos activos, él pone un pensamiento opuesto a la Palabra santa de Dios y juega, tira, bombardea tu mente hasta lograr vencerla y después el segundo paso es qué lo lleves a tu corazón, y una vez en tu corazón, se actúa conforme a lo que uno dejo pasar a ese lugar de los sentimientos buenos o malos, es responsabilidad nuestra, somos dueños de nuestros actos, sean buenos o malos, no podemos culpar o pasar la responsabilidad de ser fiel a Dios en Todo momento, Él es fiel y demanda de nosotros lo mismo.

Apocalipsis 2:10. Nos aconseja lo siguiente y cabe la salvedad que el pasado 18 al 19 de Febrero del 2017 si unos cuantos días a tras viví en carne propia el ser acusado falsamente y pude experimentar lo que Dios por revelación divina a través del Apóstol Juan "No temas lo que estas por sufrir, He aquí, el diablo echara a algunos de vosotros en la cárcel para que seáis PROBADOS, y tendréis tribulación por diez días. Se FIEL hasta la muerte, y yo te daré la corona de la vida."

Consejos prácticos para personas que salen de una Institución Penal, para que no vuelvan a ingresar

Quiero basar estas recomendaciones en mi experiencia como empleado del sistema de corrección de Puerto Rico por más de 13 años, mi experiencia como capellán voluntario en el sistema correccional de la Ciudad de Orlando Florida, sistema Estatal del Estado de la Florida y Sistema Federal de Prisiones como empleado en la Institución Federal de Talladega Alabama y MDC Guaynabo Puerto Rico, y Capellán Voluntario en el Complejo Correccional Federal (BOP) de Colman en el condado de Sumter, Florida. También quiero agradecer a los confinados y confinadas de las diferentes instituciones y países que el Señor me ha permitido servir como recurso para su gloria: Puerto Rico, República Dominicana, Perú y Estados Unidos.

Mateo 12: 43-45

"Cuando el espíritu inmundo sale del hombre anda por lugares secos buscando reposo y no hallándolo dice "volveré a la casa de donde salí; y cuando llega, la encuentra desocupada, barrida y adornada. Entonces va y trae a otros siete espíritus peor que el, y tomándola moran en ella, y el postrer estado de la persona viene a ser peor que el anterior."

Testimonio de un confinado: Cuando llegamos a la cárcel pasamos por un periodo de desintoxicación (sea físico, emocional y/o químico) que es un tiempo donde nuestra mente y emociones pasan por una etapa de inestabilidad donde no pensamos claramente y sentimos vergüenza, coraje, culpa y remordimiento. Tratamos de razonar nuestra situación con preguntas y aseveraciones tales como: ¿Por qué? "Por culpa de", "si yo hubiera" "debí haber", etc....tratando de encontrar causas externas para justificar el acontecimiento. Esto nos lleva a problemas tales como; ansiedad, depresión, frustración, insomnio; que, si por alguna razón durante esta etapa salimos de la cárcel sin haber lidiado con la raíz del problema, las posibilidades de volver son mayores debido a que podemos pensar "me salí con la mía", "no me fue tan mal", "no perdí tanto." En esta etapa todavía estamos siendo oprimidos por el espíritu inmundo (la raíz del problema) y a menos que Dios le plazca bendecirnos con una experiencia libertador del Espíritu Santo salimos iguales o peor que como llegamos. Como dice el himno "Solo el poder de Dios puede cambiar tu ser."

Miro a mi alrededor y veo personas, como yo caídas(apartadas) en el evangelio con conocimiento de la Palabra y talentos, que hemos sido negligentes hacia el llamado de Dios para nuestras vidas despreciando así un tesoro incalculable dentro de nosotros útil para nuestra salvación que también pude alcanzar otras vidas.

Me trae a la mente Mateo 26: 41 "El espíritu a la verdad está dispuesto, pero la carne es débil", y pasamos por alto que podemos ir confiadamente al trono de la gracia para alcanzar misericordia y oportuno socorro en tiempo de necesidad (Hebreos 4:16)" Solo la gracia de Dios nos sostiene. Una vez nos reponemos del impacto emocional, físico, mental, y nuestros pensamientos comienzan a organizarse, es cuando llega la oportunidad para tomar una decisión consiente, firme y definitiva limpiar y llenar la casa. Mientras estamos en la cárcel lo más que tenemos es tiempo y es lamentable pero cierto, que lo utilizamos más preocupándonos por salir que por cambiar. Muchos sabemos que la solución a todos nuestro problemas y ansiedades está en Cristo, pero lo guardamos en nuestro "emergency kit" para cuando lo necesitamos, y yo lo he hecho. Abusamos del amor, gracias y misericordia de nuestro Señor Dios y olvidamos que "Él es Amor, pero también fuego consumidor." Gálatas 6:7 nos dice: "No os engañéis, Dios no puede ser burlado. Todo lo que hombre sembrare eso también segara." A sabiendas hacemos de Cristo nuestra última opción o recurso.

Resistimos la sabiduría de Dios y preferimos nuestra propia sabiduría ignorando el consejo de la palabra de Dios en Proverbios 3:5~8; "Fíate de Jehová de todo tu corazón, Y no te apoyes en tu propia prudencia, reconócelo en todos tus caminos, y el enderezara tus veredas. No seas sabio en tu propia opinión. Teme a Jehová, y apártate del mal; Porque será medicina a tu cuerpo, Y refrigerio a tus huesos." Mantengamos poniendo nuestra fe y esperanza en el lugar incorrecto, ignorando el hecho de que "sin Cristo nada podemos hacer" (Juan 15:5).

Sugerencias, consejos para limpiar y llenar la casa

Como dijimos anteriormente, nada de esto se tomará en cuenta o servirá de ayuda, a menos que reconozcamos que:

Estamos actuando contrario a lo que Dios ha establecido por su palabra (mandamientos, consejos, advertencias). Tenemos que invitar a Cristo a entrar como nos aconseja la Palabra de Dios en Apocalipsis 3:20; "He aquí, yo estoy a la puerta y llamo; si alguno oye mi voz y abre la puerta, entrare a él, y cenare con él y el conmigo. También en Santiago 4:8 nos dice; "Acercaos a Dios y él se acercará a vosotros. Pecadores, limpiad las manos; y vosotros los de doble ánimo, purificar vuestros corazones."

En estos tiempos de inmoralidad, hay leyes que permiten acciones contrarias a lo que la Palabra de Dios condena. Muchas personas no tienen conocimiento de La Palabra de Dios o Biblia, y es donde se necesita acción y el envolvimiento de la iglesia en las cárceles y sus recursos (Biblias en inglés y español), Ministros, voluntarios, maestros (Romanos 10:14~15) y en Mateo 9:37 la Palabra nos dice que "la mies es mucha, más los obreros pocos."

Necesitamos un cambio radical en nuestra manera de pensar (Romanos 12:2).

Toda acción nace de un pensamiento. Si nuestra mente esta cautiva bajo el dominio del pecado, nuestras acciones reflejaran este hecho. Tenemos que utilizar la Palabra de Dios a nuestro favor, porque ella es vida y produce vida en nosotros cuando la aplicamos a nuestra vida (Hebreos 4:12), y es la guía segura para nuestra manera correcta de vivir en este mundo. Filipenses 4:8 nos muestras las características de los pensamientos en que deberíamos utilizar nuestras energías entendiendo que, de hacerlo, el resultado se verá en nuestra conducta.

En el mundo de las computadoras se le llama limpiar el disco duro de información que no sirve o está dañado.

Una vez recibimos y procesamos la Palabra de Dios debemos atesorarla, hacerla nuestra, meditar en ella; ver en qué forma se aplica a nuestra vida y nos ayuda a aumentar nuestra fe y confianza en el Señor.

Incorporarla a nuestras conversaciones. "Recordar" "Meditar", "Hablar" en ese orden hasta que se grabe en nuestro corazón y llegar a deleitarnos en ella (Salmo 77:11~12).

"Que privilegio el poder guardar Tu Palabra en mi corazón donde la puedes usar en cualquier momento para bendecirme, guiarme, evitar que peque contra ti (Dios), y ser un almacén de palabras de inspiración y consolación que el Espíritu Santo puede traer a mi mente para ayudarme y ayudar a otros cuando la ocasión lo amerite o requiera."

Necesitamos permitir que la "Palabra de Dios" se mueva de nuestra mente a nuestro corazón (espíritu). Si no permitimos que ocurra nuestro conocimiento será superficial, vano. En la cárcel al igual que en el mundo, vamos a encontrar oposición.

No obstante, en la Palabra de Dios encontramos que esto no es nada nuevo (Juan 16:33). Nuestro común enemigo, satanás (diablo) que ha sido mentiroso desde el principio, con sus engaños y maquinaciones siempre tratara de oponerse a todo lo bueno que Dios quiere hacer en nosotros y por nosotros, 2 Corintios 2:11 nos dice "Que para que satanás no gane ventaja sobre nosotros; no debemos ignorar sus maquinaciones." En la cárcel algunas de estas son:

1. Nuestras asociaciones.

Como hemos decidido invitar a Cristo morar y guardar nuestra casa, el enemigo sabe que su regreso a la casa no va a ser fácil directamente, así que, va a tratar de usar nuestros vecinos (asociaciones) más cercana. En Corintios 15:33 nos dice 'las malas conversaciones(compañía) corrompen las buenas costumbres.' Nuestros oídos son una de las puertas a nuestra alma. Si no nos arraigamos a la Palabra de Dios y filtramos la información que nos inunda usando Filipenses 4:8 como filtro esto nos puede afectar resultando en ansiedad, preocupación, duda, distracciones que nos trataran de alejar o impedir cultivar los buenos habito tales como nuestro tiempo personal con el Señor, en oración, estudiando su Palabra, y devocionales; y si no nos damos cuenta a tiempo nos encontraremos apartándonos o desviándonos de nuestro propósito que debe ser acercarnos más a nuestra única esperanza, "Cristo."

2. Nuestras conversaciones. Proverbios 4:20~25 nos recomienda que:

_Inclinemos nuestros oídos a la Palabra de Dios y estemos atentos a lo que dice.

_No la dejemos escapar de nuestra vista y la guardemos en nuestro corazón porque avivan y refrescan nuestro ser.

_Guardar nuestro corazón porque de él, mana la vida, Mateo 12:34 nos dice que "de la abundancia del corazón habla la boca."

_Nuestras conversaciones y forma de hablar reflejan lo que hay en nuestro corazón.

_Desechémonos de todo engaño de palabra o en acción.

_Aseguraos que Cristo sea el centro de nuestra conversación.

_No murmurar ni criticar; Santiago 4:11, Colosense 4:5~6, Santiago 3:1~12, etc.… Son ejemplos adicionales.

3. Nuestra conducta.

Cada vez que hacemos algo contrario a lo que profesamos ser, ya que nunca faltara alguien para señalarlo usando comentarios como "y eso que es cristiano." Este es un ataque dirigido a nuestra identidad en Cristo, una artimaña del acusador (diablo) para desanimarnos, confundirnos y sacarnos de concentración o comunión (desviar nuestra atención) nuestro enfoque, "Puesto los ojos en Jesús" (Hebreos 12:1,2).

2 de Corintios 5:17 "De modo que, si alguno está en Cristo, nueva criatura es, las cosas viejas pasaron he aquí todas son hechas nuevas." Si hemos recibido a Cristo como nuestro Salvador personal, hemos sido perdonados y si perdonados, debemos andar en ese perdón.

Cuando descansamos en ese perdón nuestra conducta refleja lo que dice Gálatas 5:22,23; "amor, gozo, paz, paciencia, benignidad, bondad, fe, mansedumbre, dominio propio; contra tales cosas no hay ley." 1 de Juan 4:4 nos dice; "Mayor es el que está en nosotros que el que está en el mundo." "Si descansamos en esa promesa, no hay nada que temer."

Necesitamos un cambio de corazón. Génesis 6:5 "Y vio Dios que la maldad del hombre sobre la tierra era grande, y que todas intenciones de los pensamientos de su corazón eran pecaminosas continuamente." De acuerdo con esto, nuestra naturaleza es pecaminosa y refleja la depravación del corazón humano alejado de Dios. Relacionado con la casa (alma), necesitamos un cambio de Amo o de administrador que la guarde. Al arrepentirnos de nuestros pecados y hacer de Cristo nuestro Señor y Salvador, el Espíritu Santo de Dios viene a morar en nosotros y nuestra casa se convierte en "Su Templo" (1 Corintios 3:16). A la misma vez nos dice en el versículo 17 que "Su Templo es Santo" y en Isaías 42:8 nos dice que "no comparte su Gloria".

Para ser santo tiene que estar limpio de toda maldad o espíritu adverso. Esto, solo sucede mediante una rendición total y absoluta de nuestra alma(mente, emociones, voluntad) a los pies de Cristo lo que le dará, con nuestra cooperación, dando rienda suelta al Espíritu Santo para empezar a renovar lo que no le honra moldeando nuestro carácter en semejanza al de Cristo produciendo así un cambio en nuestro corazón que se manifestara en nuestra conducta., De esta forma le damos Gloria total y absoluta que necesita y desea para reinar y guardar así nuestra casa (Su Templo) y manifestar su Gloria a través de nosotros dondequiera que vamos. ¡Amén!

Testimonio de Japhet Hernández (confinado)

Ruego al Señor que sean de bendición para otros al escribirlas, citamos con el permiso y la autorización de él.

Cuento con 56 años, nacido y criado en Puerto Rico con mis padres, Reverendo Ramón Hernández y Reverenda Asunción Arroyo de Hernández, vi lo que es vivir una vida dedicada a "Amar a Dios sobre todas las cosas y al prójimo como a sí mismo." De esa forma fui criado. Durante mi juventud, me aparte de las enseñanzas de mis padres. Me dediqué a los deportes, lo que convertí en una excusa para no congregarme.

No obstante, mis padres no desperdiciaban ninguna oportunidad para ministrarme durante ese tiempo. Me congregaba en días especiales, pero no era mi prioridad. Progresivamente me envolví en el pecado, al punto de que me hundí en la drogadicción en todos sus aspectos. Tratando de llenar el vacío que había en mi corazón, las drogas se convirtieron en mi dios. A todo esto, nunca faltaba un recordatorio por parte de Dios tratando de llamar mi atención, sin embargo, yo seguía ignorando sus advertencias. En el 2011 llegue a Orlando, Florida. Me aparte de las drogas, busque del Señor por un tiempo. Me limpio, restauro, y bendijo, todo esto en menos de un año. Poco a poco empecé a descuidar mi relación con el Señor. Mi tiempo personal, orar, lectura de la Palabra, congregarme, todo fue desapareciendo y cuando abrí los ojos, estaba de nuevo en las garras de la drogadicción. Todas las bendiciones recibidas desaparecieron.

Aun así, Dios de alguna forma u otra me hacía saber que todavía me amaba. Yo, ignorando esto y olvidando lo que dice en Hebreos 4:16; "Venir confiadamente al trono de la Gracia para alcanzar misericordia y oportuno socorro en tiempo de necesidad", seguí asiéndole más caso a la culpa y vergüenza que a la Palabra de Dios.

A este punto las consecuencias del pecado empezaron a hacerse presente. Caigo en la cárcel por primera vez en 52 años, en el 2012, pero Dios tuvo misericordia. En vez de ser agradecido y volver al Señor, ignore su misericordia y llamada de atención lo que como consecuencia me ha traído a la cárcel cuatro (4) veces más, la última de estas, en Noviembre del 2015, donde estoy en el presente.

Todo lo que he escrito anteriormente como sugerencias, es lo he estado haciendo en este último viaje. Mientras estaba pasando por el proceso de desintoxicación (rompiendo vicio) me llego a las manos una Biblia y tan pronto la abrí, estaba en 2 Crónicas 20:15 "No temas, ni desmayes a causa de esta gran multitud; porque la batalla no es tuya sino del Señor", promesa que he hecho mía y me ha sostenido hasta el día de hoy. Una vez pase el proceso de desintoxicación, el Señor me trajo a la memoria Edras 10:4 "Levántate, que es tu obligación, pon manos a la obra y estaremos contigo." Fui obediente a esta palabra y experimente lo que nos dice Daniel 10:12; "Desde que dispusiste tu corazón a entender y humillarte ante la presencia de tu Dios, tus palabras han sido escuchadas y a causa de tus oraciones he venido."

Demás está decir que me humille ante Dios, reconocí mi pecado, recibí su perdón y solo puedo decir que "Hasta el día de hoy, Dios me ha ayudado" (Ebenezer). Llegué a la cárcel derrotado, sin fe ni esperanza, lleno de culpa y vergüenza, abandonado por mis supuestos amigos y hoy, al reconocer que es lo que Dios ha usado para que Su Nombre sea glorificado a través de mi situación, y dejarme saber que, "Si busco primeramente Su Reino y Su justicia, todas las demás cosas serán añadidas." (Mateo 6:33). Aunque estoy en la cárcel, ahora vivo en victoria; independientemente de lo que esté haciendo o donde me encuentre, busco la comunión con el Espíritu Santo, mi constante compañero, guía y ayuda, y su presencia en mi vida me ha traído paz, ha aumentado mi fe y renovado mi esperanza en Cristo dándome la confianza de decir al Señor "Padre, no quiero que me saques de esta situación hasta que hayas hecho todo lo que necesitas hacer en mi atreves de ella."

Mientras tanto, dedico todo el tiempo disponible para buscar el rostro del Señor, llenarme de su presencia cada día más por medio de la oración, estudio y aprovechar cada oportunidad que me da de recibir su Palabra por medio de estudios bíblicos traídos por diferentes Capellanes e Iglesias. Sin embargo, si no cuido y valoro la Gracia y misericordia que he recibido por parte de mi Señor puedo descuidar mi casa y como dice Mateo 12:45; "El postrer estado de la persona viene a ser peor que el anterior."

¿Qué debo hacer para practicar las disciplinas espirituales?

Lectura de la Biblia, oración y ayuno (BOA), para evitar recaer y volver atrás (desobediencia, adicción, cárcel, enfermedad y muerte). Si hemos respondido al llamado de Dios a nuestras vidas en la cárcel y recibido a Cristo o nos hemos reconciliado con el Señor, ya hemos sido limpios y lavados con la Sangre de Cristo. Nuestra casa ahora es Templo del Espíritu Santo, hemos pasado de muerte a vida, ahora nuestra casa está ocupada (llena) y guardada. Por lo tanto, nuestra relación con el que mora en ella, el Espíritu Santo, debemos mantenerla y cuidarla como nos aconseja la Palabra de Dios en Filipenses 2:12, a "ocuparnos de nuestra salvación con temor y temblor, porque Dios es el que en vosotros produce así el querer como el hacer, por su buena voluntad." Es una práctica común el buscar acercarnos a Dios en los momentos difíciles. Clamamos a Dios por ayuda, fortaleza, pedimos perdón, etc.

Si analizamos bien la salvación, podemos entender que Dios usa nuestras situaciones y circunstancias para llamar y captar nuestra atención como también para disciplinarnos (Salmo 94:12) "Dios al que ama disciplina." El problema está en que obedezcamos, que Dios nos ha guardado y sostenido. Debido a lo que he vivido mis recomendaciones son las siguientes:

"Agradecer a Dios por su intervención" (Lamentaciones 3:22-25). "Por la misericordia de Jehová no hemos sido consumidos, porque nunca decayeron para mí su misericordia, nuevas son cada, mañana; grande es su fidelidad, mi porción es Jehová dijo mi alma. Bueno es Jehová con los que esperan en El y el alma que lo buscare (Salmo 103:10~14) "No ha hecho con nosotros conforme a nuestras iniquidades ni pagado conforme a nuestros pecados; y como el padre se compadece de los hijos, se compadece Jehová de los que le temen; Se acuerda que somos polvo." Cuando llegamos a la cárcel nos vemos enfrentando diferentes situaciones y una vez Dios nos libra a su manera nos olvidamos de que fue El quien nos libró (1Tesalonisenses 5:18)" Dad gracia a Dios en todo, porque esta es la voluntad de Dios para con nosotros en Cristo Jesús."

El Salmo 103:2 nos dice "Bendice, alma mía, a Jehová, y no olvides ninguno de sus beneficios." También en Deuteronomio 8:11~20; "Cuídate de no olvidarte de Jehová tu Dios, para cumplir sus mandamientos; no suceda que se enorgullezca tu corazón, y te olvides de Jehová tu Dios, que te saco de tierra de Egipto, de casa de servidumbre; que te sustento, afligiéndote y probándote, para a la postre hacerte bien."

Yo he sido culpable de esto y es una de las razones primordiales que me hacen volver atrás, no ser agradecido y olvidarme de lo misericordioso que Dios ha sido conmigo y que no puede ser burlado. Seguimos repitiendo la lección hasta que finalmente aprendamos y pongamos por práctica lo aprendido.

Acordarnos de los Siervos de Dios que nos ayudan en el proceso. En humildad someternos y tener a alguien a quien rendir cuentas y nos ayude a mantenernos encaminados y hacerlos participes de nuestras victorias y batallas. Hebreos 13:7 nos aconseja "Que nos acordemos de nuestros pastores, que os hablaron la Palabra de Dios; considerad cual haya sido su conducta e imitad su fe." "El que es enseñado en la Palabra, haga participe de toda cosa buena al que le instruye (Gálatas 6:6). "En la multitud de consejeros hay seguridad" (Proverbios 11:14). "Sobrellevad las cargas de los otros, y cumplid así la ley de Cristo" (Gálatas 6:2). "Mejores son dos que uno, porque si cayeren, el uno levantara a su compañero" (Eclesiastés 4:9~12). "Por lo cual animaos unos a otros y edificaos unos a otros" (1 Tesalonicenses 5:11). Incluso en programas seculares se recomienda mantener contacto con los consejeros para que nos den seguimiento y ayuda.

Hacer de Cristo el centro de nuestra vida. Mateo 6:33 nos aconseja la Palabra que "Busquemos el Reino de Dios y su justicia y todo lo demás será añadido." Proverbios 3:5,6 dice: "fíate de Jehová de todo tu corazón, y no te apoyes en tu propia prudencia. Reconócelo en todos tus caminos, y el enderezara tus veredas."

1 de Samuel 15:22 nos aconseja; "Ciertamente el obedecer es mejor que los sacrificios, y el prestar atención que la grosura de los carneros. Porque como pecado de adivinación es la rebelión."

Colosenses 3:1~4 "Buscad las cosas de arriba, poned la mira en las cosas de arriba donde esta Cristo sentado a la diestra de Dios y nuestra vida escondida con Cristo en Dios."

Estoy en la cárcel porque el centro de mi vida era yo, todo giraba alrededor de mis necesidades, deseos, emociones, mi sabiduría, mi felicidad, mis logros, etc. Todo era yo, sin valorar nada fuera de esto, aunque suene contrario, no valoraba mi vida y mucho menos la del prójimo. Había descartado ya los valores morales, el temor a Dios incluyendo sus leyes y las del hombre. Yo era la autoridad en mi vida. Todo porque creía que sin Cristo lo podía lograr.

¡La Palabra de Dios no falla! En 2 Pedro 2:20 "Porque si después de haber escapado de las contaminaciones del mundo por el conocimiento del Señor y Salvador Jesucristo, enredándose otra vez en ellas son vencidos, su postrer estado viene a ser peor que el primero." Dios nos dice en su Palabra en Marcos 12:30,31; "Amaras al Señor tu Dios con todo tu corazón, con toda tu alma, con toda tu alma, y con todas tus fuerzas; y amaras a tu prójimo como a ti mismo." En esto vemos que Dios debe ocupar el primer lugar en nuestras vidas.

1 de Samuel 2:20 Dios nos estimula diciendo "Honrare a los que me honran", o sea, que no es solo un deber, sino también una bendición, el hecho de que Dios sea primero en nuestras vidas. En resumen, si usamos la misma fuerza, energía y tiempo que usamos para hacer lo que agrada a Dios, que era nuestra prioridad en otro tiempo, y la llevamos a los pies de nuestro Señor y Salvador Jesucristo.

Él nos honra bendiciéndonos con "Amor, gozo, paz, paciencia, benignidad, bondad, fidelidad, mansedumbre, dominio propio; contra tales cosas no hay ley." Aunque este bajo la letra de todas las sugerencias, si hacemos de esta la prioridad, todas las demás siguen; BOA (Biblia, Oración y Ayuno). Buscar una Iglesia en donde se predique la sana doctrina de acuerdo a la Palabra de Dios y podamos ofrendar nuestros talentos (habilidades, dones, finanzas, etc.) El Salmo 133 dice "Mirad cuan bueno y delicioso es habitar los hermanos juntos en armonía; porque allí envía Jehová bendición y vida eterna." Y Hebreos 10:25 nos aconseja de "No dejar de congregarnos, como algunos tienen por costumbre, sino exhortándonos; y tanto más, cuando veis que el día se acerca." El congregarnos es parte del agradecer a Dios por lo que ha hecho por nosotros y donde demostramos interés en cambiar nuestras vidas, apartarnos para Dios y recibir las herramientas necesarias para mantener la victoria sobre el pecado, que ha Dios le ha placido brindarnos por medio de Jesucristo, cuando nos arrepentimos y hacemos nuestra profesión de Fe. Recibimos y aprendemos más lo relacionado a la vida cristiana; (Romanos 10:17).

En Hebreos 4:12 dice que; "Porque la Palabra de Dios es viva y eficaz, y más cortante que espada de dos filos; y penetra hasta partir el alma y el espíritu, las coyunturas y los tuétanos y discierne los pensamientos y las intenciones de nuestro corazón."

Tal es el poder que ejerce la Palabra de Dios cuando abrimos nuestro espíritu y corazón para recibirla y atesorarla.

2 de Timoteo 3:16,17: "Toda la Escritura es inspirada por Dios, y útil para ensenar, redargüir, corregir, para instruir en justicia, a fin de que el hombre de Dios sea perfecto, apto para toda buena obra." Me gusta la idea de la Iglesia representada por el adorador Rene González en su canción, y yo me atrevería a decir que la describe como el "Hospital del Alma", "donde se sana el herido, rompe cadenas, liberta al cautivo, aclare la mente al que está confundido y que hable verdad; que con su mirada brinde esperanza al alma angustiada y que sane las heridas de la humanidad." Esto es parte de lo que recibimos cuando nos congregamos. Otra razón de congregarnos es que demostramos que el tiempo y la energía que utilizamos para pasar, ahora lo utilizamos para honrar a Dios. Nos enlistamos en el ejército de Dios, donde la disciplina que aprendemos, si la aplicamos a nuestras vidas, nos van a ayudar a vivir una vida agradable ante Dios y los hombres. Un estudio realizado demostró que cuando nos envolvemos activamente en una congregación cristiana y continuamos el caminar con Cristo una vez salimos de la cárcel esto disminuye la posibilidad de volver a la vida de crimen.

De acuerdo con Billy Graham Center Institute For Prison Ministres las estadísticas son las siguientes:

• 75% de los exconvictos que no se congregan, o se olvidaron de hacerlo, regresan a la cárcel.

• 68% de los que comienzan a buscar a Cristo mientras están encarcelados no regresan al crimen.

• 90%~95% de los que, al salir, se unieron activamente a una congregación, se sometieron a su líder y fueron disciplinados no regresaron al crimen.

El mantenernos conectados con nuestro Señor Jesucristo nos ayuda a mantenernos alejados del pecado.

Conclusión:

Es mi consejo principal y espero que con la ayuda de Dios puedan vencer en Cristo y recordar "Que Dios nunca va a hacer nuestra parte humana", que se encuentra en Lucas 9:23 "Si alguno quiere venir en pos de mí, niéguese a sí mismo, tome su cruz cada día, y sígueme. Y también la que yo llamo la medicina para la felicidad; en Mateo 6:33 "Mas buscad primeramente el reino de Dios y su justicia, y todas estas cosas os serán añadidas".

¿Quiénes somos y en que nos podemos convertir?

I. ¿Quiénes somos?

Desde el principio Dios ha querido darnos un lugar muy especial en su corazón y en su reino, tanto que nos hizo su imagen y semejanza (Génesis 1: 26-27) y nos hizo señorear sobre toda la tierra. También su palabra nos revela que nos hizo poco menor que los ángeles y que nos ha coronado de gloria y de honra (Salmo 8:5-8). Lo que las Escrituras nos revela es que Dios en su infinita misericordia y gracia nos ha dado un lugar muy privilegiado en su corazón e inclusive un nombre a nosotros, aun mucho más con el sacrificio que Jesús hizo podamos obtener la redención y salvación para nuestras almas. Para aquellos que somos hijos de Dios, es decir, que aceptamos a Jesús como nuestro Señor salvador (Juan 1:12), tenemos un valor agregado en comparación con el resto de las personas que no han aceptado a Jesús, ya somos te de la gran familia de Dios.

Tal vez preguntaras, ¿Cómo es eso de que somos tan importantes? ¿Por qué? ¿Para qué? Pues bueno, aunque sea difícil de creer, Dios nos dio ese gran honor y lugar con un gran propósito, solo falta echar un vistazo a su Palabra para entender lo Él dice de nosotros.

Analicemos lo que dice la siguiente cita bíblica: 1era de Pedro 2:
"Mas vosotros sois linaje escogido, real sacerdocio, nación santa, pueblo adquirido por Dios, para que anuncies las virtudes de aquel que nos llamó de las tinieblas a su luz admirable. Vosotros que en otro tiempo no erais pueblo, pero que ahora sois pueblo de Dios: que en otro tiempo no habéis alcanzado misericordia."

Analicemos muy bien el versículo número, 9 de 1ª de Pedro capítulo 2, del cual debemos resaltar los siguientes puntos:

a) Linaje escogido
b) Real sacerdocio
c) Nación santa.
d) Pueblo adquirido por Dios

a. Linaje escogido

El linaje es pertenecer a una familia, a una descendencia, o sea, nosotros somos descendencia de Dios, y no cualquier descendencia, sino una que ha sido escogida por El. Por lo tanto, somos miembros, de la familia REAL (Realeza) de Dios, esto gracias al sacrificio de Jesús en la cruz de calvario, pues solo por Cristo podemos llegar a ser hijos de Dios (Efesios 2:19).

b. Real sacerdocio

Esta frase encierra la razón de nuestra existencia en la tierra. Dice que somos ministros del Dios vivo (sacerdocio) y que somos sacerdotes al servicio del Rey (real). Servidores de Dios en la tierra encargados de alabar y adorar su Majestad. ¡Que privilegio más grande nos ha dado Dios! Poder ministrar Su presencia, nosotros que antes éramos nadie en el mundo, pero que ahora nos da el honor de ser Sus ministros, o sea, no solo los sacerdotes, pastores, u otra clase de ministros pueden hacerlo, sino que todos nosotros (Sus hijos) también.

c. Nación santa

Denota nuevamente que somos parte de un algo, en este caso no solamente de una familia, sino que también de una nación, y no cualquier nación sino a una que está especialmente dedicada o consagrada a Dios, pues Él nos ha apartado del mundo para Su honra y gloria. Eso significa ser santo, estar separado o consagrado específicamente para algo.

d. Pueblo adquirido por Dios

Entiéndase que somos pertenencia exclusiva de Dios, pues Él nos compró con precio de sangre por medio de su Hijo Jesús, el Cristo. Imagínate, nosotros que éramos nadie, que no merecíamos su amor y misericordia nos eligió como su pueblo, esto significa que nos ha dado una gran identidad, ya no somos simples humanos, sino que somos hijos de Dios, a su servicio.

¿Pero para qué Dios nos hizo así, o nos dio tanto a nosotros?

Los versículos 9 y 10 de 1ª de Pedro capítulo 2 nos revela el porqué: "para que anunciéis las virtudes de aquel que os llamó de las tinieblas a su luz admirable [pues] ahora habéis alcanzado misericordia". El sólo hecho de que nos haya alcanzado con su misericordia es motivo de gozo, pues nos ha librado del castigo eterno, y nos ha regalado la vida eterna, y nosotros, como buenos cristianos (seguidores de Cristo y sus enseñanzas) debemos compartir la noticia de que Jesús está vivo, y salva, que quiere darnos vida eterna, que libera al cautivo, sana a los enfermos. Estas son las virtudes de aquel que nos llamó de las tinieblas a su luz admirable. Esta es la razón de este escrito, anunciar las buenas nuevas de Jesús, transmitir la verdad de Dios para que con Su verdad puedas ser iluminado en medio de las tinieblas que el enemigo (diablo) ha puesto para no ver las riquezas que Dios ha entregado a la humanidad. Y no hablo de riquezas monetarias (dinero) pues Dios nos bendice no sólo con dinero u objetos materiales (casa, carro, vestido...) sino que también lo hace en nuestros espíritus. Ahora, esta tarea de anunciar Su verdad es responsabilidad de todos nosotros, pues, así como su misericordia nos ha alcanzado, debemos compartirla con los otros para que también sean parte de la familia de Dios.

Amado lector, tú que eres conocedor de Jesús, dale gloria y honra por esta verdad escrita en Su Palabra y comienza a vivir tal como 1 Pedro 2: 9 y 10 lo dice. "Más vosotros sois linaje escogido, real sacerdocio, nación santa, pueblo adquirido por Dios, para que anunciéis las virtudes de aquel que os llamo de las tinieblas a su luz admirable; vosotros que en otro tiempo no erais pueblo, pero que ahora sois pueblo de Dios; que en otro tiempo no habíais alcanzado misericordia, pero ahora habéis alcanzado misericordia."

Para ti lector, que luego de haber leído estas palabras y piensas que esto no es tan cierto o tú que piensas que todo está muy bien y lindo, pero que eso no es para ti, pues te digo que sí lo es. Jesús vino a hacer un sacrificio muy grande para que la humanidad no se pierda, sino que sea salva y obtenga la vida eterna (Juan 3:16). Por tanto, te hago la invitación de que le permitas a Jesús entrar a tu corazón y obtener la vida eterna y todas las demás promesas que están escritas en Su Palabra como la que vimos en párrafos anteriores. Vamos, te invito a formar parte de la familia de Dios, pues sólo en ÉL encontrarás paz, paz como nunca la has tenido (Juan 14: 27). Sólo dile a Jesús que entre a tu corazón, que reconoces que estás separado de ÉL por el pecado, pero que te arrepientes de vivir como hasta ahora y que lo aceptas como tu único y verdadero salvador. Te aseguro que, si haces una confesión algo parecida a ésta, inmediatamente serás hecho hijo de Dios, parte de Su familia real y escogida. Esto no es ficción, es verdad de Dios. ¡Tan sólo cree y serás salvo! Si lo has hecho, te felicito por esta tan importante decisión que has tomado, pues ahora no estás sólo, tienes a Dios y miles de hermanos en Cristo Jesús. Te animo a buscar una iglesia y que te congregues; una iglesia donde se predique sobre la verdad de Jesús y Su reino. Busca de Dios, ÉL te está esperando, tan sólo habla con Jesús y te escuchará donde quieras que estés, consigue una Biblia y léela, sólo Su verdad te hará completamente libre (Juan 8: 32) y sabio (Proverbios 1: 7).

Queremos bendecir a todos los lectores, y declarar lo que la Biblia dice en Números 6: 24 – 26: "Jehová te bendiga, y te guarde; Jehová haga resplandecer su rostro sobre ti, y tenga de ti misericordia; Jehová alce sobre ti su rostro, y ponga en ti paz." Shalom(Paz), Amén.

II. ¿En que nos podemos convertir?

1. En lo que nos enfocamos,
2. En lo que miramos,
3. En lo que pensamos,
4. En lo que hablamos.

1. Nos convertimos en lo que nos enfocamos. Tenemos que poner nuestro enfoque, en todo aquello que agrada a Dios y en su Palabra, que es el único lugar en donde vamos a aprender como agradar a Dios y aprender a hablar el lenguaje de fe. 2 de Timoteo 3:16-17 nos aconseja la Palabra: "Toda la Escritura es inspirada por Dios, y útil para enseñar, para redargüir, para corregir, para instruir en justicia, a fin de que el hombre de Dios sea perfecto, enteramente preparado para toda buena obra." El Salmo

119:105 nos dice: "Lámpara es a mis pies tu palabra, y lumbrera a mi camino."

2. Nos convertimos en lo que miramos. Los ojos son la ventana del alma. Mateo 6:22-23 nos dice que el ojo es la lámpara del cuerpo y también nos dice que, si tú visión es clara, todo tu ser disfrutara de la luz que es Cristo. Pero si tu visión esta nublada, todo tu ser estará en oscuridad.

Hoy en día estamos viviendo en un mundo cada vez más violento, es mi opinión personal apoyada en mi vasta experiencia como consejero y mentor en sistemas carcelarios, mi investigación doctoral en consejería y de estudios realizados por profesionales de la salud mental, que tanta violencia es el producto de los programas televisivos, películas y juegos de videos violentos que enfatizan el quitar la vida a otra u otras personas, que me atrevo a no equivocarme que muchos de los eventos trágicos en las escuelas de nuestro país(USA) y otros lugares es el fruto o producto de pasar horas mirando estos medios de comunicación y la práctica de juegos que enfatizan a la violencia individual o de grupo.

Lucas 11:36; "Así que, si todo tu cuerpo está lleno de luz, no teniendo parte alguna de tinieblas, será todo aluminoso, como cuando una lámpara con su resplandor te alumbra." Nos aconseja que la luz que en nosotros hay, no sea tinieblas. O soy o no soy, o alumbro o no alumbro. La persona que mira limpiamente a los ojos de otros es una persona segura, amistosa, y sincera. Ejemplo: El apóstol Pedro cuando le hablo al cojo de la Hermosa (Hechos 3:4) La Palabra dice: "Y Pedro fijando en él los ojos, le dijo: míranos..." y en el verso 6 Pedro le dijo: "No tengo Plata ni oro, pero lo que tengo te doy; en el nombre de Jesucristo de Nazaret, levántate y anda." Nosotros no podemos dar lo que no tenemos. Si no hay intimidad con Dios, a través de la oración, la Palabra, el ayuno, el decir todos los días lo que Jesús dijo en la Palabra en Lucas 9:23 (a lo que llamo la medicina para la felicidad) Y decía a todos: Si alguno quiere venir en pos de mí, niéguese a sí mismo, tome su cruz cada y sígame. Puestos los ojos en Jesús, el autor y consumador da la Fe (Hebreos 12:1-2).

3. Nos convertimos en lo que pensamos. 2 de Corintios 10:5; Necesitamos llevar cautivo todo pensamiento a la obediencia de Cristo. La mente es el lugar de en donde el enemigo nos ataca con pensamientos malos y corruptos. No podemos permitir ni jugar con esos pensamientos y menos dejarlos llegar a nuestro corazón, porque entonces esos pensamientos se convertirán en acciones. Un ejemplo; el caso de David un hombre" Conforme al corazón" Dios de Dios. 2 de Crónicas 21dice; Satanás se levantó contra Israel y provoco que David hiciera un censo al pueblo de Israel. (Leer 2ª de Crónicas 21:1-4. David tuvo la oportunidad de no hacerlo, inclusive su General Joab le dijo: ¿Por qué hará que Israel caiga en pecado?

Es imposible ganar la victoria sobre la carne, el mundo, y los enemigos, tres enemigos comunes que tenemos, sin la transformación (la regeneración) del corazón (donde está el intelecto, la voluntad, las emociones, y la conciencia) y ese es el trabajo del Espíritu Santo si está activo en nosotros, pero si la persona no se somete voluntariamente en obediencia "total", no vamos a obtener la victoria sobre estos tres enemigos comunes del cristiano. "o todo o nada" Es necesario renovar nuestra mente como nos recomienda el autor del libro de Romanos 12:2; "No se amolden al mundo actual, sino sean transformados mediante la renovación de su mente. Así podrán comprobar cuál es la voluntad de Dios, buena, agradable y perfecta."

4. Nos convertimos en lo que hablamos. Proverbios 18:21 dice: La muerte y la vida están en poder de la lengua, Y el que la ama comerá sus frutos. "TUS PALABRAS TIENEN PODER, TE DAN VIDA O TE MATAN.". No le pongas Titulo a la enfermedad: diabetes, asma, cáncer, alta presión, etc.

Ejemplo: El profeta Elías; Juro por el Señor, Dios de Israel que no llovería ni caería roció hasta que él lo dijera. Leer Santiago 5:17 "Y él era un hombre sujeto a pasiones semejantes a las nuestras, y oro fervientemente para que no lloviera, y no llovió sobre la tierra por 3 años y seis meses".El Apóstol Pablo había aprendido a enfocar, a mirar al blanco, a pensar y hablar el lenguaje de la Fe. Por eso él dice el Gálatas 2:20; "Con Cristo estoy juntamente crucificado, y ya no vivo yo, más vive Cristo en mí; y lo que vivo en la carne, lo vivo en la fe del Hijo de Dios, el cual me amo y se entregó a sí mismo."

El poder de la oración como una actitud y forma de vida

El apóstol Pablo escribió en Romanos 8:26-27 palabras de aliento para los días llenos de problemas. Él dijo: "De igual manera, el Espíritu nos ayuda en nuestra debilidad, pues qué hemos de pedir como conviene, no lo sabemos, pero el Espíritu mismo intercede por nosotros con gemidos indecibles. Pero el que escudriña los corazones sabe cuál es la intención del Espíritu, porque conforme a la voluntad de Dios intercede por los santos."

Dios quiere que le pidamos

Uno de los grandes misterios de la vida es la oración. Dios el Padre se alegra en dar respuesta a la oración. Es nuestra responsabilidad de ir a Él y entrar en comunión con él. La oración es más que pedir a Dios por las cosas. Es una actitud, una forma de vida. Se trata de oraciones formales como cuando nos presentamos ante Él en adoración corporal. También es cuando nos acercamos a Él en silencio en el salón de clases, una aventura de negocios, o en un lugar público. En Efesios 6:18, el apóstol Pablo pidió a la iglesia de Éfeso que oraran por él en su ministerio: "Orad en todo tiempo con toda oración y súplica en el Espíritu, y velad en ello con toda perseverancia y súplica por todos los santos".

Hay otras ocasiones en que la vida es simplemente demasiada grande y demasiada compleja, y no sabemos qué pedir. En esos momentos, no sabemos ni qué pedir, ni la forma de presentar nuestras peticiones, como debemos. Esto es cuando el Espíritu Santo intercede por nosotros. Él amablemente comparte con nosotros el rumbo de esta carga.

Da la sabiduría a todos los que vienen y le piden. "Si alguno de vosotros tiene falta de sabiduría, pídala a Dios, el cual da a todos abundantemente y sin reproche, y le será dada, pero pida con fe, no dudando nada, porque el que duda es semejante a la onda del mar, que es arrastrada por el viento y echada de una parte a otra" (Santiago 1:5-6).

Jesús es nuestro ejemplo perfecto de la oración en el Espíritu.

Era el perfecto hombre lleno del Espíritu Santo. Lucas, el médico griego, da un buen resumen del ministerio del Espíritu Santo en Jesús.

También Jesús fue bautizado y, mientras oraba, el cielo se abrió y descendió el Espíritu Santo sobre él en forma corporal, como paloma; y vino una voz del cielo que decía: «Tú eres mi Hijo amado; en ti tengo complacencia.» ... Jesús, lleno del Espíritu Santo, volvió del Jordán y fue llevado por el Espíritu al desierto ...Jesús volvió en el poder del Espíritu a Galilea y se difundió su fama por toda la tierra de alrededor. Enseñaba en las sinagogas de ellos y era glorificado por todos. Vino a Nazaret, donde se había criado; y el sábado entró en la sinagoga, conforme a su costumbre, y se levantó a leer.

Se le dio el libro del profeta Isaías y, habiendo abierto el libro, halló el lugar donde está escrito:

"El Espíritu del Señor está sobre mí, por cuanto me ha ungido para dar buenas nuevas a los pobres; me ha enviado a sanar a los quebrantados de corazón, a pregonar libertad a los cautivos y vista a los ciegos, a poner en libertad a los oprimidos y a predicar el año agradable del Señor." (Lucas 3:21-22, 4:1, 14-18).

¿Por qué oró Jesús? El oró para mantener la relación íntima de amor con el Padre. Jesús experimentó una ininterrumpida y dulce comunión entre Él y su Padre. A lo largo de los cuatro evangelios, encontramos a Jesús morando en la presencia del Padre. El Trató de hacer la voluntad del Padre. ¿Dónde oró Jesús? Él oró por todas partes: con sus discípulos, en pequeños grupos con Pedro, Santiago y Juan. Él oró solito en las montañas, oró en un día de campo con sus discípulos junto al lago, etc.

Jesús oraba sin cesar. Era su costumbre de orar. Él oró antes de tomar decisiones importantes como cuando llamó a los doce. Pidió la dirección del Padre. Pasó toda la noche orando por la voluntad del Padre.

¿Por qué oró él? Él oró por sí mismo. Él oró por sus discípulos para que conocieran las verdades espirituales, "La carne y la sangre no te ha revelado esto a vosotros, sino mi Padre que está en los cielos." Él oró por Pedro cuando dijo: "yo he rogado por ti, para que tu fe no falte."

En la advertencia de Pedro la noche misma de su negación Jesús le dijo: "Simón, Simón, Satanás os ha pedido para zarandearos como a trigo; pero yo he rogado por ti, para que tu fe no falte; y tú, una vez vuelto, confirma a tus hermanos" (Lucas 22:31-32).

Los animó a orar y no para ser agobiado por las preocupaciones de la vida. "Velad, pues, orando en todo tiempo que seáis tenidos por dignos de escapar de todas estas cosas que vendrán, y de estar en pie delante del Hijo del hombre" (Lucas 21:36).

Jesús no sólo oró con una carga de profundidad y sentido de urgencia por sus discípulos, sino que Él también oró por la fuerza de sí mismo. ¿Alguna vez ha escuchado los gemidos de Jesús al orar?

Salió y se fue, como solía, al Monte de los Olivos; y sus discípulos lo siguieron. Cuando llegó a aquel lugar, les dijo: —Orad para que no entréis en tentación. Se apartó de ellos a distancia como de un tiro de piedra, y puesto de rodillas oró, diciendo: «Padre, si quieres, pasa de mí esta copa; pero no se haga mi voluntad, sino la tuya.» Entonces se le apareció un ángel del cielo para fortalecerlo. Lleno de angustia oraba más intensamente, y era su sudor como grandes gotas de sangre que caían hasta la tierra. Cuando se levantó de la oración y fue a sus discípulos, los halló durmiendo a causa de la tristeza; y les dijo: —¿Por qué dormís? Levantaos y orad para que no entréis en tentación (Lucas 22: 39-46). Mientras él aún hablaba, se presentó una turba para arrestarlo.

Es interesante, mientras consideramos a Jesús como nuestro mejor ejemplo del hombre controlado por el Espíritu, orando en el Espíritu, que no hay registro de su oración en "lenguas". La gente se pregunta es este gemido en el Espíritu orar en lenguas. Parece haber pocas razones para aceptar este punto de vista. Toda la creación está suspirando y gimiendo. Ellos no están hablando en lenguas carismáticas. Es la oración de cada cristiano. El Espíritu Santo hace intercesión incluso a través de nuestros gemidos.

El hablar en lenguas u orar emocionalmente es extáticos con sílabas sin sentido, no es lo que Pablo está hablando en Romanos 8:26. Estos no son gritos de éxtasis o la lengua o cualquier otro lenguaje especial que se menciona aquí. Pablo dice específicamente que la oración del Espíritu es demasiado profunda para las palabras, o declaraciones. No son pronunciadas, sino que no puede ser expresado. Se considera sólo en el corazón, y que nunca llega a la superficie de los labios. Nunca se puede expresar. En otras palabras, estos son los anhelos profundos del alma que todos sentimos a veces por más de Dios para nosotros mismos o para alguien más. Es por eso que a menudo lo llaman "una carga". Es una carga "demasiado profundo para las palabras."

Esta palabra se encuentra sólo aquí en el Nuevo Testamento. Estos gemidos son inexpresables, "tácitos" o "indecibles". Son sin palabras. Tal vez sea imposible ponerlos en palabras.

Jesús oró con este mismo tipo de carga intensa para un mundo perdido en el Jardín de Getsemaní. "No se haga mi voluntad, hágase tu voluntad." Cuando oramos en el Espíritu, tenemos el mismo deseo intenso del alma. Amamos a la voluntad de Dios y que sea hecha en nuestras vidas.

El Espíritu Santo hace lo mismo por nosotros

¿Dónde está usted gimiendo hoy? ¿Dónde siente el aguijón del pecado, o el dolor de una relación rota? ¿Dónde está el dolor de una silla vacía en la mesa de la cena, o la derrota de la soledad? ¿Existe el sentimiento de culpa de una conciencia que se niega a estar quieto, o la decepción de la infidelidad? ¿Cuál es el "gemido" o "carga" o "debilidad" que se enfrenta hoy en día?

¿Puede identificarse con Pablo en Segunda de Corintios 4:7-12? En parte, dice, "Pero tenemos este tesoro en vasos de barro, para que la excelencia del poder sea de Dios y no de nosotros, que estamos atribulados en todo, pero no angustiados; en apuros, pero no desesperados; perseguidos, pero no desamparados; derribados, pero no destruidos. Dondequiera que vamos, llevamos siempre en el cuerpo la muerte de Jesús, para que también la vida de Jesús se manifieste en nuestros cuerpos, pues nosotros, que vivimos, siempre estamos entregados a muerte por causa de Jesús, para que también la vida de Jesús se manifieste en nuestra carne mortal. De manera que la muerte actúa en nosotros, y en vosotros la vida."

Wil Pounds parafraseando dice: "Poseemos este tesoro inestimable de la fragancia del Evangelio en estos frágiles vasos de barro antiguos para que la extraordinaria grandeza del poder de Dios sea manifestada, como proveniente de Dios y no de nosotros. Estamos atribulados en todos lados con problemas a nuestro alrededor, pero no estamos triturados, todavía tenemos espacio para respirar. Estamos perplejos y desconcertados, pero no desesperados. Estamos perseguidos por los perseguidores, pero no abandonado por el Señor. Siempre estamos cayendo, pero nunca derribados (un knockout)."

Usted dice: que "La vida no es justa." "Eso no es lo que quiero fuera de mi vida."

Queremos ser esmaltados y pulidos, pintados, y puestos en muestra en algún anaquel seguro. Pero esa no es la manera de Dios de producir fragancias.

La manera de Dios de producir Su fragancia es tomar el bote fuera del estante, romperlo y derramar la fragancia.

A. W. Tozer dijo: "Es dudoso que Dios pueda bendecir grandemente a cualquier hombre hasta que él le ha herido profundamente." O como Alan Redpath dijo una vez: "Cuando Dios quiere hacer una tarea imposible él toma a un hombre imposible y lo aplasta."

¿Cómo está el bote? ¿Dónde está su debilidad actual? ¿Se siente exprimido? Enfermedad, dolor, decepción, un desastre, un poco de experiencia aplastante, las lágrimas, la muerte, la sombra de la muerte. . . (v. 11 es un comentario sobre v. 10).

Para Pablo esto quería decir, "afligido ... perplejo ... perseguidos ... abatido." Ese fue el proceso que Dios utiliza para liberar la fragancia en la vida de Pablo. Pero por favor, tenga en cuenta que Pablo no estaba solo en este proceso. Dios estaba obrando en él. ¿Cómo lo hizo?

En Romanos 8:26, el apóstol Pablo escribe: "el Espíritu nos ayuda en nuestra debilidad". Él estaba allí con Pablo en las aflicciones, perplejidades, persecuciones y debilidades.

Ayuda significa dar una mano junta, al mismo tiempo, con alguien, para ayudar, para acudir en ayuda de alguien. Esa es la palabra del Alentador, el Paraklete. A. T. Robertson dijo: "Aquí Pablo describe bellamente que el Espíritu Santo está afianzándonos a nuestro lado en el momento mismo de nuestra debilidad ... y antes de que sea demasiado tarde."

Lo hermoso es que Su poder se perfecciona en nuestras debilidades. Cuando morimos, Él vive. Cuando perdemos, él gana. Cuando somos débiles, Él es fuerte. Cuando somos dependientes, Él es poderoso. Esto es lo que Dios estaba haciendo en Pablo. Él hace lo mismo en nosotros cuando nos sometemos a él. Esto es caminando y orando en el Espíritu.

Pablo nos recuerda que no sabemos cómo orar. Al igual que los discípulos de Jesús venimos al Señor pidiéndole que nos enseñe a orar. Orar es un trabajo duro. Es difícil para la mayoría de nosotros. Se necesita pensamiento, concentración y compromiso. Además, no siempre somos buenos jueces de aquel para el que debemos estar orando. Le pedimos mal. Pedimos por las cosas malas. Me temo que a menudo viene al Padre, pidiendo cosas que le desagradan. Oramos por cosas inútiles para nosotros en nuestro caminar con Dios. Pablo oró intensamente en tres ocasiones para que la espina fuera removida (2 Corintios. 12:7-9). Dios no quitó la espina. Él le dio a Pablo la gracia de crecer a través de las espinas en su vida. En el proceso de sufrimiento, Pablo creció en la semejanza de Cristo. No sabemos qué es lo mejor para nosotros, porque no tenemos perspectiva general de Dios de lo que está haciendo, no sólo en nuestras vidas, sino también en las vidas de los que nos rodean, que de una u otra manera se ven afectados por nuestras vidas. Siempre hay aquellos que están en silencio y nos están mirando y observando cómo vivimos la vida cristiana. Están influenciados por la forma en que manejamos nuestras debilidades. ¿Nos ven como instrumentos de la gracia de Dios? Desde nuestro punto de vista humano, no siempre vemos cómo Dios está usando nuestras situaciones para impactar a otros para su bien. Nuestra perspectiva de nuestras circunstancias cambia radicalmente cuando lleguemos a la eternidad.

Dr. Pastor Capellán Marcos Toyens con su Ministerio, en la radio.

El poder del perdón

¿Qué es el Perdón?

Perdón es la acción y el resultado de perdonar. Se puede perdonar, entre otras cosas, una ofensa (por ejemplo, un insulto), una pena (cadena perpetua, arresto domiciliario...), una deuda (por ejemplo, económica). También es la indulgencia o la remisión de los pecados. La palabra 'perdón' también tiene otros significados y se utiliza en varios contextos para expresar disculpa en general ('Perdón, no me había dado cuenta'), por ejemplo, cuando se interrumpe un discurso ('Perdón, ¿sabés qué hora es?'). También se emplea a modo de disculpa para excusarse en una conversación ante algo que se dice de forma inapropiada ('He visto por la calle al tipo ese, perdón, a tu vecino'). En algunos casos se utiliza la fórmula

El valor del perdón

El perdón se suele considerar un valor humano. El perdón puede servir, por un lado, al ofensor para liberarse de la culpa y por otro lado, para que el ofendido se libere de posibles sentimientos de rencor. El perdón no siempre implica que el ofensor no tenga que compensar de algún otro modo su error. Se suele valorar el hecho de saber perdonar, aunque también el saber pedir perdón, porque implica de algún modo, reconocer la culpa y el daño cometido a la otra persona. En Psicología, ambas acciones se consideran capacidades del ser humano, que también suelen tener efectos terapéuticos positivos.

Pedir perdón

Pedir perdón es equivalente a disculparse. Es un concepto genérico ya que se puede aplicar a diferentes contextos. Se puede pedir perdón a una persona, a un grupo o institución. Pedir perdón se suele asociar a la humildad por reconocer que se ha cometido un error y también suele mostrar que la persona muestra intención de rectificar o compensar, de algún modo ese error. Algunas expresiones sencillas utilizadas para pedir perdón son: 'lo siento', 'disculpa', 'te pido perdón', 'perdona', 'perdóname' o simplemente, 'perdón'.

El perdón te libera de una atadura, el no perdonar te ata y detiene tu crecimiento espiritual y atrasa el propósito de Dios para tu vida.

Mateo 22:37-39

"Jesús le dijo: Amarás al Señor tu Dios con todo tu corazón, y con toda tu alma, y con toda tu mente. Este es el primero y grande mandamiento. Y el segundo es semejante: Amarás a tu prójimo como a ti mismo."

La vida está llena de heridas, pero Jesús está lleno de la cura para estas heridas.

PERDON:

"Y perdónanos nuestras deudas como también nosotros perdonamos a nuestros deudores" (Mateo 6:12).

SEGÚN Charles Swindoll; "EN EL CURRICULUM DE LA VIDA CRISTIANA, EL CURSO DEL PERDON NO ES OPCIONAL."

El significado del perdón. Es la actitud y la decisión de renunciar al derecho de hacer que la otra persona pague la ofensa que cometió. Por eso Jesús en la oración del "Padre nuestro" usa la expresión: perdónanos nuestras deudas.

El poder del perdón es uno de los grandes poderes para el creyente, como lo es también el amor, el Espíritu Santo, la Fe, La Oración, La Palabra de Dios y el ser hijos de Dios.

La palabra "perdón" viene del latín "per donare", dar, es decir, remitir la deuda, ofensa, falta, delito u otra cosa.

El perdón es también el comienzo de un proceso de sanidad y crecimiento. Por ejemplo, en el caso de una infidelidad conyugal, la persona herida, después de perdonar, va a necesitar tiempo para recuperar la confianza en su cónyuge infiel. El Señor Jesús, máximo ejemplo de perdón divino y humano, nos dejó ese legado del "Perdón." Y Jesús decía; Padre, perdónalos, porque no saben lo que hacen..." (Lucas 23:34)

¿Por qué es tan grande el poder del perdón?

1. El apropiarse del regalo del perdón dado por Dios a la humanidad a través del sacrificio del Señor Jesús en la cruz nos libera de todo complejo de culpa a que ante Dios y nos libera de todo temor, especialmente el de morir y presentarnos delante de Él. 2da de Corintios 5:10, El saber que se cuenta con el perdón y olvido de Dios de nuestros pecados es una de las seguridades básicas del cristianismo (Hebreos 10:17,18).

2. El perdón detiene o impide la tristeza, el odio o la amargura que puede dejar a una persona paralitica físicamente. "El corazón alegre constituye buen remedio; más el espíritu triste seca los huesos" (Proverbios 17:22). Si una persona permite que la amargura se anide en su corazón por mucho tiempo, aparecerán enfermedades como ulceras, presión alta en la sangre, fatiga física, insomnio y otras más. La Palabra de Dios nos advierte de no dejar que broten en nosotros ninguna raíz de amargura (Hebreos 12:15).

3. En el campo social, si alguien te ofende y tú te resientes, se levantará una barrera. Esa persona tiene amigos que tomaran esa misma actitud y muchos te odiaran. ¿Todo esto por no perdonar a una persona?

4. Pedir perdón es tan necesario e importante como perdonar. Cuando pido perdón doy muestra de humildad que es lo contrario del orgullo. Pedir perdón nos permite liberarnos de complejos de culpa, de miedo y de otras ataduras que nos permite experimentar la vida llena y abundante que el Señor Jesús prometió en Juan 10:10. Un gran ejemplo en la Biblia de los buenos resultados de la reconciliación lo encontramos en el encuentro de Jacob y Esaú, Génesis capítulo 37. También quisiera dar otro ejemplo digno de mencionar, la experiencia del amado Evangelista Yiye Ávila de Puerto Rico, al perdonar al hombre que asesinó vilmente a su hija y no solamente lo perdonó, sino lo llevó con esa humilde actitud, a que él se reconciliara con el Dios de amor y misericordia que el predicaba. Me atrevo a unir su nombre al salón de los hombres y mujeres de Fe que menciona el libro de los Hebreos Capítulo 11.

Consejo: Visualiza a la persona o personas que te han ofendido, o contra las que tienes algo. Anota sus nombres. Ve ante Dios y confiesa tu pecado por haber albergado amargura o resentimiento en tu corazón, como lo aconseja la Palabra en Proverbios 28:13 Y serás libre de esa carga y volverás a ser libre para disfrutar la vida abundante que Jesús da a aquellos que siguen su legado del perdón. Habla con la persona si es necesario. Mateo 18:15, perdona y olvida completamente como lo hace Dios con nosotros. Salmo 103:3, 12. Haz una lista de las necesidades de tu ofensor, y que tú has descubierto por la forma en que te ofendió y pídele a Dios que supla esos faltantes en esa persona, ¡haciendo esto comenzaras a disfrutar del ¡PODER DEL PERDON!

El PRECIO DE NO PERDONAR

Casi nunca discutimos el alto precio de no perdonar, pero consideremos las consecuencias de albergar rencores:

1. El fruto del Espíritu se desvanece.
2. La indiferencia o el odio toma el lugar del amor.
3. La amargura o la depresión desplazan al gozo.
4. La ansiedad toma el lugar de la paz.
5. La impulsividad desplaza la paciencia.
6. Un corazón duro e indiferente ocupa el lugar de la benignidad.
7. La malicia y la venganza toman el lugar de la bondad.
8. Una naturaleza demandante desplaza a la gentileza.
9. La resignación por las responsabilidades toma el lugar del dominio propio.

Cuando no perdonamos, culpamos fácilmente a otra persona por nuestra condición. Cuando lo hacemos, nos olvidamos de nuestra responsabilidad de atemperar nuestras respuestas.

Citamos a él Reverendo David Wilkerson con lo siguiente: Perdonar no es un acto de una sola vez, sino un estilo de vida, cuyo propósito es el de adentrarnos en cada bendición en Cristo. *"Pero yo os digo: Amad a vuestros enemigos, bendecid a los que os maldicen, haced bien a los que os odian y orad por los que os ultrajan y os persiguen, para que seáis hijos de vuestro Padre que está en los cielos," (Mateo 5:44,45).*

De acuerdo a Jesús, el perdonar no es asunto de escoger o seleccionar a quien perdonaríamos. No podemos decir, "Me has herido demasiado, por lo tanto, no te puedo perdonar." Cristo nos dice, "Si amáis a los que os aman, ¿Qué recompensa tendréis? ¿No hacen también lo mismo los publicanos? (Mateo 5:46). No importa contra quien sea nuestro rencor, si no perdonamos a él, nos llevara al resentimiento que envenenara cada aspecto de nuestras vidas. El no perdonar trae hambruna espiritual, debilidad y una pérdida de fe, afligiendo no solamente a nosotros sino también a todos en nuestro circulo.

A través de los años de ministerio, he visto terrible devastación en las vidas de quienes no perdonan. Citando al Reverendo David Wilkerson; Una vez el vio a un hombre caerse muerto en un ataque de amargura, causado por rehusarse a perdonar. Alguien le había reprochado, y él nunca pudo dejar el dolor. Un minuto estaba furioso sobre ello, sus puños cerrados, y sobrecogido por esa experiencia, tristemente su cuerpo sin vida cayó sobre su escritorio. Sin embargo, he visto el poder glorioso de un espíritu que perdona. Muy importante mencionar, perdonar transforma vidas, haciendo que las ventanas de los cielos se abran (cielo abierto). Llena nuestra copa de bendiciones espirituales hasta el borde, con abundante paz, gozo y descanso en el Espíritu Santo. La enseñanza de Jesús sobre este tema es muy específico, y si quieres moverte en esta maravillosa esfera de bendición, entonces presta atención y acepta sus palabras.

El perdonar a los otros no tiene mérito con Dios

Jesús nos dice, "Por tanto, si perdonáis a los hombres sus ofensas, os perdonara también a vosotros vuestro Padre celestial; pero si no perdonáis sus ofensas a los hombres, tampoco vuestro Padre os perdonara vuestras ofensas." (Mateo 6:14,15). No te equivoques; Dios no está haciendo un trato con nosotros aquí. Él no está diciendo, "Porque has perdonado a otros, te perdonare. Nunca podremos merecernos el perdón de Dios. Solamente la sangre derramada por Cristo merece el perdón de Dios.

Muy bien, Cristo, en esencia, está diciendo, "La confesión total del pecado requiere que perdones a otros." Si te aferras a cualquier falta de perdón, entonces no has confesado todos tus pecados. El arrepentimiento verdadero requiere confesar y olvidar cualquier ofensa, crucificando cada rastro de resentimiento contra otros. Cualquier cosa menos, no es arrepentimiento. Esto va mano en mano con su Beatitud del mismo sermón; "Bienaventurados los misericordiosos, porque alcanzaran misericordia." (Mateo 5:7). Su punto: Perdona a otros, para que puedas moverte a la bendición y gozo de ser hijo de Dios. Entonces Dios puede derramar sobre ti muestras de su amor. Ciertamente, cuando Jesús dice, "Amad y bendecid a los que os maldicen, para que así sean los hijos del Padre Celestial." (Ver 5:44,45), él nos está diciendo: "El perdón refleja la verdadera naturaleza de los hijos de Dios. Cuando perdonas, estás revelando al Mundo la naturaleza del Padre."

"Amad, pues, a vuestros enemigos, haced bien…No esperando de ellos nada a cambio y vuestra recompensa será grande, y seréis hijos del Altísimo, porque Él es benigno para con los ingratos y malos, sed, pues, misericordiosos, como también vuestro Padre es misericordioso. Perdonar y seréis perdonado. Dad y se os dará; porque con la misma medida con que medís, os volverán a medir." (Lucas 6:35,38).

Estamos ordenados a perdonar a nuestros enemigos

Según la Palabra, un enemigo es alguien que te ha maldecido, odiado, usado o perseguido (vea Mateo 5:44). Por su definición, tenemos enemigos no solamente en el Mundo, sino que también en la iglesia, y quizás también hasta en la tumba. Hablé con una mujer cristiana que por años había llevado falta de perdón contra su padre. Él había fallecido hacía mucho tiempo, pero ella no era capaz de perdonarlo por los años de abuso. Esto causo que raíces de resentimiento crecieran en ella, y la afecto su vida entera. Su gozo en Cristo había disminuido, y cada vez que oraba los cielos parecían metal, Últimamente su angustia se acrecentaba, sintiendo un tumulto creciendo dentro de ella. Así que comenzó diligentemente a leer y a estudiar la Palabra de Dios (Biblia) y las palabras de Jesús en estos pasajes la convencieron. Lentamente comenzó a dejar todo su resentimiento. Hoy, esta mujer camina en la esfera de la bendición, porque ella encontró fortaleza en Cristo para perdonar a su padre. Ella me dijo, "Le entregué ese espíritu de falta de perdón al Señor, y no te puedo decir o describir el gozo que ha sido liberado en mi vida. Le doy gracias a Dios, porque he experimentado, vivido y visto el poder de perdón.

Pienso en el terrible dolor causado por un divorcio y el resentimiento que le sigue. Muchos que han atravesado por un divorcio dicen que es peor que una muerte, porque a menudo torna amantes y amigos en amargos enemigos. Nuestro ministerio recibe cartas trágicas de hombres y mujeres cristianos cuyos cónyuges abandonaron el matrimonio, tornándose odiosos y atentando en destruir los que queda de la familia. En mi experiencia personal ha sido unos de los procesos o momentos más tristes y angustiosos que he vivido. Pero busque refugio y fortaleza en Dios y en su Palabra, y al hacerlo, he podido disfrutar de los beneficios del poder del perdón y la sanidad interior.

Según la Palabra de Dios, hay cuatro requerimientos para completar el perdón

1. "Soportaos unos a otros y perdonaos unos a otros, si alguno tiene queja contra otro, de la manera que Cristo os perdono, así también hacedlo vosotros.: (Colosenses 3:13). Soportando y perdonando son dos asuntos distintos. Soportando quiere decir cesando de todos los actos y pensamientos de venganza. Dice, en otras palabras, "No tomes asuntos en tus propias manos, en vez, soporta el dolor. Rinde el asunto y déjalo quieto." Pero soportando no es concepto solo del Nuevo Testamento. Proverbios nos dice, "No digas; "Hare con el cómo el hizo conmigo; pagaré a ese hombre según merece su obra" (Proverbios 24:29). Recibimos un ejemplo poderoso de esta advertencia en la vida de David. En 1 de Samuel 25, encontramos a David en una rabia vengativa hacia un hombre llamado Nabal. David y sus hombres habían protegido las ovejas de Nabal por varios meses, y durante ese tiempo no se llevaron ni una sola oveja. Ahora bien, David estaba huyendo del Rey Saúl, con sus hombres y sus familias amontonadas en una cueva, hambrientos. Así que David mando a algunos de sus hombres a preguntarle a Nabal si podía prescindir de algunas ovejas para ellos. Pero Nabal se rio, diciendo ¿Quién es David? Él es nada más que

un sirviente fugado." Cuando David oyó esto, se puso rabioso, maldiciendo, "Me las pagara." Entonces reunió a 200 de sus hombres y marchó hacia el campamento de Nabal para matarlo. Pero la esposa de Nabal, Abigail, se enteró, y rápidamente intervino. Empaco a su mula con comida y corrió a interceptar a David, deteniendo al guerrero con estas palabras; "No busques venganza por tu propia mano, David. Deja que el Señor pelee tu batalla. Él se encargará de tus enemigos. Soporta ahora y continuaras envuelto en el abrigo de la vida con tu Señor. Estas destinado a ser Rey de Israel, pero si tratas de vengarte, vivirás para lamentarlo." David sabía que este consejo era del Señor. Así que le dio gracias a Abigail y retrocedió diciendo, "Me has salvado de tomar venganza en mis propias manos." Cuando Nabal falleció poco después, David alabo al Señor por su intervención: "Señor, imploraste la causa de reproche, no permitiste que me vengara por mí mismo."

David tuvo otra oportunidad para venganza fácil, cuando encontró al que lo perseguía, Saúl en una cueva, en la cual David mismo estaba escondido. Los hombres de David le urgieron, "Esto es obra de Dios, Él ha entregado a Saúl en tus manos, mátalo ahora, y toma venganza. Pero David en vez de eso, corto un pedazo de la vestimenta de Saúl, para luego poder probar que pudo haberlo matado. Tales acciones sabias son la manera de Dios de avergonzar a nuestros enemigos. Y ese fue el caso cuando David le enseñó a Saúl el pedazo de su vestimenta. Saúl respondió, "Más justo eres tú que yo, que me has pagado con bien, habiendo yo pagado con mal." (1 Samuel 24:17). El corazón resentido de Saúl hacia David se había derretido ahora.

Ese es el poder del PERDON; avergüenza a los enemigos odiosos, porque el corazón humano no puede entender tal respuesta pura y amorosa. La Palabra dice; "El que no ama, no ha conocido a dios; porque Dios es amor." (1 Juan 4:8~10).

2. Además de soportar, debemos perdonar de corazón.

Ahora llegamos a perdonar, que abarca otros dos mandamientos: 1. Amar a nuestros enemigos y 2. Orar por ellos, "Pero yo os digo: Amad a vuestros enemigos, bendecid a los que os maldicen, haced bien a los que os odian y orad por los que os ultrajan y os persiguen." (Mateo 5:44). Un viejo predicador sabio dijo, "Si puedes orar por tus enemigos, puedes hacer todo lo demás. He encontrado que esta es la verdad en mi propia vida. Al orar por aquellos que me han herido, Cristo empieza a quitar mi dolor, mi deseo de defenderme, y mi deseo carnal de vengarme. Y mientras El hace esto, soy impulsado a preguntar, "Señor, ¿Qué quieres que haga para reparar esta relación?" A veces su instrucción es hacer una llamada telefónica, escribir una carta, o reunirme con la persona cara a cara. Cuando hago lo que me instruye mi alma se empapan en su paz.

3. También debemos aprender a perdonarnos.

Para mi esta es la parte más difícil del perdón. Como cristianos, somos rápidos en ofrecer la gracia de nuestro Señor al mundo, pero a menudo la repartimos miserablemente hacia nosotros. Considera al Rey David, quien cometió adulterio y entonces ordenó la muerte del esposo para cubrir su ofensa. Cuando su pecado fue expuesto, David se arrepintió, y el Señor envió al profeta Natán para decirle, "Tu pecado ha sido perdonado." Más, aunque David sabía que había sido perdonado, había perdido su gozo; orando: "Hazme oír gozo y alegría, y se recrearan los huesos que has abatido. Devuélveme el gozo de tu salvación y espíritu noble me sustente." (Salmo 51:8,12). ¿Por qué estaba David tan perturbado? Este hombre había sido justificado ante el Señor, y tenía paz a través de la promesa del perdón de Dios. Pero, es posible tener tus pecados borrados del Libro de Dios, pero no de tu conciencia. David escribió este Salmo porque quería su conciencia dejara de condenarlo por sus pecados. Y David simplemente no podía perdonarse. Ahora estaba soportando la penalidad por aferrarse a la falta de perdón, una falta dirigida hacia sí mismo, y eso es una pérdida de gozo. Ves, el gozo del Señor viene a nosotros solo como el fruto de aceptar el PERDON.

4. Tenemos que aprender a vivir por fe y aprender de los eventos del pasado para no volver a cometer los mismos pecados o faltas.

Años atrás, fui grandemente impactado por la biografía de Hudson Taylor, el fundador de La Misión Interior China. Taylor fue uno de los misioneros más efectivos en la historia, un hombre de Dios de oración que estableció iglesias a través del vasto interior de China. Sin embargo, el ministerio por años sin gozo. Él estaba deprimido sobre sus luchas, agonizando sobre ansias secretas y pensamientos de incredulidad. En su correspondencia a su hermana en Londres, confeso, "Estoy plagado de pensamientos que no son agradables al señor, peleo tantas batallas en mi mente y espíritu. Me odio a mí mismo, mi pecado, mi debilidad."

Entonces, en el 1869, Hudson experimento un cambio revolucionario. El vio que Cristo tenía todo lo que necesitaba, pero ninguna de sus propias lagrimas o arrepentimiento podían descargar esas bendiciones en él. Le dijo a su hermana, "No sé cómo obtener todo lo que Dios prometió en mi vasija." Taylor reconoció que había un solo camino a la Plenitud de Cristo: A través de la Fe. Cada pacto que Dios hizo con el hombre requirió fe. Así que Taylor determino motivar su fe, más, sin embargo, aun este esfuerzo resulto en vano. Finalmente, en su hora más oscura, El Espíritu Santo le dio una revelación: La Fe proviene no del esfuerzo, sino descansando en las promesas de Dios. Ese es el secreto para obtener las bendiciones de Cristo.

Ahora Taylor empezó a recitar las promesas de Jesús, una y otra vez: "Habitas en mí, y darás fruto." "No te dejare ni abandonare." "Todo lo puedo en Cristo." Taylor desistió de tratar de limitar a Cristo y en vez empezó a descansar en la promesa de Jesús de continua unión con El. Le escribió a su hermana, "Dios me ve como muerto y enterrado en la Cruz, donde Cristo murió por mí. T ahora me pide que me vea como El me ve. Así que descanso en la victoria que su sangre gano para mí, y lo doy por hecho. Soy tan capaz de pecar como nunca, pero ahora veo a Cristo conmigo como nunca antes. Al confesar mis pecados rápidamente, creo que son instantáneamente perdonados."

Taylor se perdonó de los pecados que Cristo había dicho que ya había arrojado al mar. Y porque descanso en las promesas de Dios, pudo ser finalmente un siervo gozoso, continuamente arrojando todos sus cuidados sobre El Señor. Esto es cuando todos entramos en el pacto con Dios: Tan pronto como descansamos en su Palabra para nosotros, dependiendo en sus promesas.

Tengo una pregunta final para ti. Crees que tus pecados de los pasados años y meses han sido perdonados Los has confesado y aceptado la promesa del perdón de Dios ¿Pero crees lo mismo de los pecados de ayer? Como Hudson Taylor, ¿Los confesaste rápidamente y creíste que fueron inmediatamente perdonados?

Dios nunca pone un límite de tiempo entre el momento de nuestra confesión y su perdón. "El día que clame, me respondiste; fortaleciste el vigor de mi alma." (Salmo 138:3). "No recuerdes contra nosotros las maldades u de nuestros antepasados. ¡Vengan pronto tus misericordias a encontrarnos!" (Salmo 79:8). La palabra hebrea para "rápidamente", aquí significa, "envía tu compasión, rápidamente, aun ahora."

Dime, ¿cómo son tus mañanas? ¿Despierta con una nube negra sobre tu cabeza? ¿Tienes sentimientos de culpa, e inmediatamente comienzas a repasar tus faltas? ¿Son tus primeros pensamientos, "Soy tan débil y pecaminoso?" Aquí tienes lo que dice la Palabra de Dios sobre cómo deberían ser tus mañanas: "Cantad a Jehová, bendecid su nombre. Anunciad de día en día su salvación;" (Salmo 96:2). Las misericordias de Dios son nuevas cada mañana. Así, que no importa lo que hiciste ayer, o aun en esta misma hora, cuando lo confiesas sinceramente todo está bajo la sangre limpiadora de Cristo. Si crees en sus misericordias de momento a momento, si confías que Él está más dispuesto a perdonarte que tú lo estés en confesarte, entonces levántate en la mañana y dile al diablo, "Este es el primer día del resto de mi vida. Estoy dejando atrás esas cosas en el pasado, todas mis pasadas derrotas y pecados, y sigo hacia delante hoy, con un nuevo comienzo. ¡HOY ES DIA DE LA SALVACION DEL Señor!

I. COMO DIOS NOS AMA, DEBEMOS NOSOTROS AMAR Y PERDONAR

1. El amor nace en el corazón. Proverbios 4:23, "Sobre toda cosa guardada, guarda tu corazón; Porque de él mana la vida."
2. El amor de Dios es eterno (Jeremías 31:3).
3. El amor de Dios no tiene límites (Juan 3:16).

4. El amor de Dios debe ser correspondido, amando a Dios y amando al prójimo (Mateo 22:37~39).

Los pensamientos determinan nuestras acciones: "Nos convertimos en lo que pensamos, nos enfocamos y en lo que hablamos."

1. El 80% de los pensamientos son negativos. Los siembra el adversario.
2. El 20% de los pensamientos son positivos.
3. Cuando juzgamos a alguien, abrimos puertas al acusador de nuestros hermanos.
4. Criticar y juzgar nos torna negativos en la fe de pensar.
5. Dios valora que hablemos palabras de vida y bendición. (Proverbios 18:21). "La muerte y la vida están en poder de nuestra lengua."
6. En 1 de Juan 3:15 la Biblia nos advierte que "Todo el que aborrece a su hermano es homicida, y vosotros sabéis que ningún homicida tiene vida eterna permanente en él.
7. La falta de perdón es una atadura que aprovecha satanás (Juan 10:10).
8. Los pensamientos deben llevarse cautivos a Cristo (2 de Corintios 10:5).
9. Criticar y juzgar acarrea juicio (Mateo 7:1,2).

II. DIOS NOS DIO LA POSIBILIDAD DE ESCOGER PERDONAR

1. Dios nos perdona por gracia, misericordia y amor.
2. Desarrollamos perdón cuando comprendemos que también fallamos.
3. Si sembramos perdón, cosecharemos perdón.
4. El perdón opera bajo principios como la siembra y la cosecha (Lucas 6:37,38).
5. La misericordia triunfa sobre el juicio.
6. La antesala de una buena reconciliación con Dios es perdonar al prójimo y perdonarnos a nosotros.
7. Nadie nos obliga. Cada uno escoge perdonar (Mateo 6:12,13).
8. Perdonar a quienes nos ofenden, perfecciona el poder de Dios en nosotros (Mateo 6:14,15).
9. No perdonar al prójimo, estorba nuestro servicio a Dios (Mateo 5:23,24).

10. Arrepentirnos de juzgar al prójimo y perdonar, son llaves para salir de la prisión.

11. La misericordia triunfa sobre la justicia (Santiago 2:3).

III. ¿QUE OCURRE CUANDO PERDONAMOS?

1. La falta de perdón afecta nuestra relación con Dios y contamina a otros (Hebreos 12:5).

2. Cuando no perdonamos, le damos derecho legal al enemigo espiritual para que nos asedie.

3. Si se lo permitimos, Dios nos da libertad mediante la fuerza y el poder para perdonar (Isaías 61:19).

4. Cuando perdonamos, desatamos a quien no hizo daño (Mateo 16:19).

La naturaleza misma de Dios es el amor. Nos concibió con esa condición: la de poder amar y ser amados. Sin embargo, el pecado nos lleva a cuidar y alimentar el odio. La falta de amor es una atadura en nuestra vida que aprovecha Satanás para traernos enormes problemas, a nivel espiritual y físicos. Es con el poder de Dios que no solo escogemos perdonar, sino que logramos perdonar. De paso, en Dios, se produce la sanidad interior que tanto que tanto necesitamos.

Conclusión:

Cuando comprendemos por las Escrituras que Dios nos ama, aprendemos a amar y a valorar la trascendencia de perdonar a quienes nos han causado daño, y por supuesto, perdonarnos a nosotros mismos. Recuerde que absolutamente nadie nos obliga a perdonar. Es una decisión personal. Y podemos avanzar en ese proceso, no en nuestras fuerzas sino en el poder de Dios. ¡Él es quien sana las heridas y nos permite una PLENA! Hoy es el día oportuno para tomar una decisión sabia: PERDONAR.

Testimonio de Roger Arroyo

Roger Arroyo: Pastor, misionero y evangelista desde el 2001. Escritor y conferencista. Entre sus libros se encuentran: "Entrando al Mundo Espiritual", "Conociendo al espíritu de Jezabel" y "El último tiempo y la guerra espiritual"

Por la gracia de Dios, el Pastor Roger Arroyo fue rescatado de la muerte en varias ocasiones y del mundo del "Reggaeton" y posteriormente del "Rock" y llamado de las tinieblas a la Luz Admirable de Jesucristo. Lleva aproximadamente 16 años de servicio al Señor e intensa búsqueda de su presencia y alrededor de 14 años ministrando la Poderosa Palabra de Dios en diferentes lugares y países del mundo y a través de Radio y Televisión.

Estudio secularmente 2 años en la Universidad de Puerto Rico Recinto de Rio Piedras, conocida por sus siglas (UPR) y también en El Instituto Bíblico Gosen Inc. en Carolina Puerto Rico. En su trayectoria Ministerial Dios le ha permitido ejercer varias funciones en el plano Ministerial entre las cuales se encuentran: Secretario, Consejero, Maestro de la Palabra de Dios, Conferencista, Programador de radio, fundador de iglesias, y en estos momentos junto a su amada esposa la pastora Daisy Arroyo son los Fundadores del Ministerio y Movimiento Verdad y Unción Inc. y del Escuadrón de oración guerreros de Verdad y Unción.

Por la gracia de Dios la Pastora Daisy Arroyo fue rescatada de los "Testigos de Jehová" con 24 años de servicio al Señor, se ha destacado en varias funciones como: Predicadora, Diaconisa, Maestra de Instituto Bíblico, Conferencista, Tesorera y Pastora. Estudio en el Colegio Bíblico Pentecostal en Trujillo Alto Puerto Rico el cual actualmente lleva el nombre de Universidad Teológica del Caribe. También ha hecho viajes Evangelisticos y Misioneros y le gusta aconsejar y trabajar con mujeres heridas y maltratadas. Dios les ha permitido en Puerto Rico, República Dominicana, Canadá y Estados Unidos llevar la Palabra, también en diferentes hospitales, cárceles y hogares de Rehabilitación en Puerto Rico,

Estados Unidos y República Dominicana cómo: Hogares Crea, Teen Challenge, Nuevo Pacto 1 y 2, Monte Sinai, Soldados de Jesús, Fuera de las Rejas entre otros. También él pastor Roger Arroyo está capacitándose cómo capellán.   Pastores Roger y Daisy Arroyo siempre tienen un lema presente:

"Toda la Gloria es de Dios, Cristo Viene y que no se apague el fuego."

Testimonio de Roger Arroyo:

Fui criado en mi país Puerto Rico junto a mis padres y varios de mis hermanos. Nací en la capital de Puerto Rico, San Juan el 4 de marzo del 1982, pero crecí en el pueblo de Carolina. Posteriormente cuando me casé con mi esposa me mudé en un sector entre Río Piedras y Carolina cerca de la conocida avenida llamada 65 de infantería. Gracias a Dios que me escogió desde el vientre de mi madre y me preservó la vida para su propósito. Gloria a Dios. Fui librado por la poderosa mano de Dios en 7 ocasiones diferentes, incluyendo en algunas de ellas (accidentes de auto, disparos, de una caída de un décimo piso cuando era un niño entre otras más). Pero en la experiencia que más me quiero enfocar es en la ocasión que Dios me libró de la peor muerte segura. Dónde Dios me libró de las manos de los satanistas.

110

Cuando no conocía aún al Señor, en los tiempos de escuela y estudios, lo que estaba de moda en esos tiempos era lo que llamaban rap y reguetón. Y pues como todo joven corría con la corriente de los demás. Con el debido respeto a los que les gusta este estilo de música y no estoy juzgando a nadie, pero como una enseñanza y testimonio real, les digo que esta música no es de Dios en ninguna manera, ni tampoco es música para las iglesias de Jesucristo; aunque en muchas llamadas "iglesias" lo permiten porque supuestamente le cambian la letra y supuestamente lo usan para atraer jóvenes.

Aunque los tiempos y la gente cambia, Dios y su palabra jamás cambiará (Hebreos 13:8, 1 Pedro 1:25). Pero la realidad lo que necesita un joven bíblicamente hablando es lo que yo experimenté: ayuno, oración, y una experiencia personal con el poder de Dios. Recuerde que la Biblia dice en (Joel 2:28) que los jóvenes serán llenos del Espíritu Santo y serán usados por Dios. Un joven lleno de Dios no le atrae lo carnal. Este tipo de música tiene un trasfondo histórico negativo y lo que promueve es el sexo, droga, traición y muerte. Promueve demonios que empujan a esto a los jóvenes. Pero Dios ama al pecador, al joven y murió por todos, y al que a Él viene no lo echa fuera (Juan 6:37).

Esto es una realidad porque junto a mi hermano mayor a nuestra temprana edad como joven nos vimos envueltos en este ambiente y tratamos de introducirnos en este ambiente del cántico del rap y reggaeton. Luego de eso nos introducimos en el mundo del "rock". Específicamente la rama del "heavy metal rock". Pero no se engañe, no hay "rock bueno tampoco "debido a que esta música también tiene trasfondo histórico negativo. Promueve sexo, drogas, muerte, depresión, suicidio, tristeza y más.

Yo puedo hablarlo con libertad porque experimenté ambos campos y de ahí me sacó Dios. Y aún ya recién convertido cómo era neófito y no sabía, traté de traer esa música y pensé que podía cantarle y agradar a Dios de esa forma; pero Dios me dijo: Suelta lo tuyo y toma lo mío, tengo algo mejor para ti, así que quita el calzado de tus pies porque el lugar que pisas Santo es y acércate a la zarza (Éxodo 3:4-5).

Hermanos no deje que nadie lo engañe. Lo de Dios es puro, Santo y original. Gloria a Dios.

De un momento dado a otro dejamos el amor por el rap y reggaeton y nos introducimos al mundo del rock. Por espacio de 6 años junto a mi hermano mayor estuvimos al frente de un grupo de heavy metal rock o más bien algo modificado "new metal rock" llamado, primeramente: "Furia" y posteriormente "Oda ciega". Nada más observe los nombres y dígame en que edifican. Bueno comenzamos a tocar en muchos lugares, fiestas, festivales de tatuajes y pubs a lo largo y ancho de Puerto Rico; y pues lógicamente este mundo envuelve también mucha droga y alcohol, los cuales usábamos. Nunca olvido que en momentos dados camino a actividades a tocar, aparecía alguien, algún anciano o anciana y me predicaba de Cristo y del amor que Él me tenía y que tenía un propósito conmigo. Aunque yo no lo entendía la semilla del evangelio quedaba en mi corazón y comenzó a germinar. Esto fue en tiempos de universidad, pero recuerdo que aun en los últimos años de la escuela tenía compañeros cristianos que también me hablaban del Señor Jesucristo. Esa semilla estaba ahí. A los cristianos no se cansen de predicar ni de dar tratados. El trabajo en Dios nunca es en vano (1 Corintios 15:18).

Nunca olvido que en cierta noche nos encontrábamos los integrantes del grupo compartiendo y tomando alcohol en un pub de San Juan y bajo sustancias controladas y alcohol puse la mirada en una dama que me habían presentado esa misma noche y pues estaba pendiente de ella. Llegó la hora de que el grupo decidió marcharse y yo decidí quedarme. Ellos insistieron en que me fuera con ellos, pero yo dije que no.

De repente yo insistía a la dama que quería irme con ella aparte y ella me dijo: sígueme que te voy a presentar unos amigos que quiero que conozcas. Y añadió: Para poder complacerte y estar a solas contigo primero acompáñanos a una fiesta muy importante que tenemos de madrugada y tú serás "el invitado especial" (o mejor dicho la víctima realmente). Llegamos a una plaza cercana a la que se conoce como la plaza del "tótem". Ahí me presentan varias personas en especial a dos que parecían ser los líderes de este grupo de satanistas y góticos que estaban todos vestidos de negros. A veces yo también vestía así. Nunca olvidaré cuando los conocí, me miraron fijamente y abrieron su boca y pude ver que habían afilado sus dientes cómo colmillos y sus rostros se veían desfigurados. De repente me entró un gran temor en mi corazón y le dije a la dama: sabes tengo que ir un momento al baño, y me dijo: No vayas; pero yo insistí y le dije: Tengo que ir. Y ella me dijo: Ve rápido y regresa porque ya nos vamos para un lugar y tenemos una fiesta especial y tú eres el invitado especial y ahí vas a dormir. Tenían una guagua esperando para montarme. Para dónde iban a llevarme en la guagua era a un culto satánico de madrugada en otro pueblo de Puerto Rico para sacrificarme a Satanás. Qué Él Señor lo reprenda.

Es por eso que me decían repetidamente que yo era el invitado especial. Cuando logré avanzar y poner un pie fuera de la plaza, sentí como una muralla detrás de mí y no podía mirar atrás, sino que comencé a correr velozmente por todas las calles de San Juan sin parar, pasándole a todos por el lado. Logré llegar al estacionamiento cerca de los barcos dónde nos encontrábamos; por misericordia de Dios los integrantes del grupo estaban a punto de salir del estacionamiento y se sorprendieron grandemente de verme.

Ya llevaba tiempo, sentía un vació en mi corazón y nada de este mundo lo llenaba. Recuerdo que poco antes de este suceso un productor y cantante de este ambiente de música nos habló sobre ir a los Estados Unidos a probar suerte, ya que él decía que nuestro estilo de música tenía salida allá. Nosotros ya habíamos grabado un sencillo de música. Pero parece que Él Señor dijo: NO. Irás a los Estados Unidos, pero no enviado por Satanás, sino enviado por MÍ a llevar mi evangelio. Aleluya.

Dos semanas luego del suceso donde me querían engañar para sacrificarme para Satán, sintiendo un vacío muy grande llegué a una iglesia en Canovanas Puerto Rico y acepté al Señor. Gloria a Dios. Gracias a la familia que me invitó. Hermanos nunca dejen de predicar el evangelio ni de invitar gente a la iglesia. La semilla a su tiempo en muchos germinará y dónde no permitan que germine, no tendrán excusa ante Dios.

Un mes luego de convertido, y otras veces más, El Señor habló a mi vida y me dijo: Que le había costado mucho y que aún había enviado a Su arcángel Gabriel para librarme de una muerte segura. Porque Gabriel además de ilustrarnos la Biblia que es un Ángel mensajero también es un guerrero por cuánto es de rango Arcángel. La gente piensa que Dios solo socorría a Daniel, Moisés o Pablo. También a nosotros los siervos de Dios. Aleluya.

No olvide que en muchas ocasiones en el libro de los Hechos Él Señor envió sus Ángeles para librar a Pedro y a los apóstoles (Hechos 5:19 y 20), (Hechos 12:7-10). Gloria a Dios.

Cristo es la única solución del hombre, vida y esperanza. Si usted es creyente, de Gloria a Dios, y si usted aún no ha dado su corazón a Dios o está descarriado, le invito a que haga esta oración conmigo: Dios te pido perdón por mis pecados, lávame en tu sangre preciosa, rompe mis cadenas, escribe mi nombre en el libro de la vida y que no se borre. Dame experiencias y guíame en el nombre de Jesús. Amén. Si ha hecho esta oración, busque una iglesia cristiana que enseñen correctamente la palabra de Dios y dónde Él Espíritu Santo y el fuego se manifieste. Gloria a Dios.

Testimonios de El penal San Juan de Lurigancho, Lima-Perú

TESTIMONIO DE JUAN JOSE ASTACIO (recluso)

Nací en Lima y viví toda mi infancia en un lugar que se llama "BARRIOS ALTOS", se encuentra ubicado en el cercado de Lima. Mi familia fue una familia normal, mi madre nos crio a mí y a mis hermanos, en mi entorno familiar no tuve malos ejemplos, por el contrario, tenía ejemplos de superación y emprendimiento.

Mi problema no vino de mi familia sino de mi entorno social, debido a que alrededor de mi casa vivía gente de mal vivir, y desde mi niñez observaba ladrones, alcohólicos, drogadictos, prostitutas y todo tipo de gente entregada a lo malo. Mi gran error fue comenzar a relacionarme con ese tipo de personas, y ellos comenzaron a influenciar de manera negativa mi vida.

A los 13 años me inicie en el mundo de la delincuencia robando relojes en las esquinas de las calles, y a los 14 años me inicie en el consumo de Cocaína, un amigo mayor que yo, me dio a probar y ahí comenzó mi adicción por las drogas, y comencé a incrementar mi nivel de delincuencia y comencé a robar carteras, tiendas, asaltar a personas, y mi vida la entregue a vivir de manera fácil.

A los 23 años tuve la oportunidad de viajar a Japón, con la ilusión de cambiar de vida, dure solo un año trabajando en una provincia, y luego me mude a Tokio, pero la situación se me complico debido a que ahí era más difícil conseguir trabajo, era indispensable hablar el idioma japonés. La situación me complico más, y me vi una vez más obligado a robar para conseguir dinero. Comencé a robar en las casas, dure un año haciendo eso y la policía japonesa me atrapo y estuve preso por un año, y después fui deportado al Perú.

Al regresar a Perú forme parte de una banda de secuestradores, y me dedique a eso por 4 años, haciendo todo tipo de robos, secuestros, hasta que la policía me atrapo y fui sentenciado a 11 años de prisión. Cuando llegue la prisión me di cuenta de que había perdido a mi familia, las propiedades que tenía, y eso me llevo a refugiarme en las drogas, lo hice por 7 años continua, llegue al nivel más bajo, vendí toda mi ropa, mis zapatos, mi comida, llegue a estar casi como loco, comía desperdicios.

Hasta que un día en medio de mis alucinaciones que tenía por tanta droga que consumía, oí una voz que me dijo anda a la iglesia del pabellón 21, ese día había comprado droga, alcohol, y cuando escuché esa voz Salí corriendo a buscar esa iglesia, y encontré a mi amigo que asistía a esa iglesia y le pedí ayuda, ahí comenzó mi proceso de cambio.

Dios comenzó a restaurar mi vida, la iglesia me dio el respaldo me tuvieron paciencia, debido a que yo estaba casi loco, hablaba con las hormigas, con las moscas, con las cucarachas, la droga había dañado mi cerebro, el diablo había arruinado mi vida, pero gloria a mi Dios que de lo más bajo de donde ya no quedaba nada de mí, Dios me levanto y me hizo su hijo, y para la gloria de Dios ahora soy pastor de la Iglesia del pabellón 21, la misma iglesia que me acogió. En mi se cumple la palabra 1Corintios 1:28. "y lo vil del mundo y lo menospreciado escogió Dios, y lo que no es, para deshacer lo que es,".

En la actualidad yo estoy trabajando bajo la cobertura del pastor HELI VERA, quien nos visita todas las semanas y nos enseña la palabra de Dios, nuestra iglesia del pabellón 21 pertenece a la Iglesia de Dios de la Profecía.

TESTIMONIO RAYMUNDO ROSTAING VAZQUEZ (recluso)

Nací en Lima crecí en un barrio muy peligroso, donde vendían drogas, había mucha delincuencia. Cuando yo nací mis padres me entregaron a una tía, la cual me crio desde pequeño, mis padres me entregan a mi tía porque ellos vivían una vida muy desenfrenada en alcohol y drogas, mis hermanos mayores se dedicaban a la delincuencia, en mi misma casa vendían droga, mis padres por alguna razón me entregaron a mi tía, ella me crio como si yo fuera su hijo, me enseñó a vivir decentemente, cultivo en mis buenos valores, yo pensé que mis tíos eran mis padres bilógicos, yo recién me entere cuando tenía 12 años y de la peor manera. Recuerdo que mi padre llego a la casa de mi tía alcoholizado y me dijo que él era mi padre, y que debía irme con Él en ese mismo momento, yo me quede totalmente confundido, y mi padre casi a la fuerza me llevo a la casa de mi familia biológica, que quedaba a tres casas de la casa de mis tíos a quienes yo en verdad consideraba como mis padres. Ese fue el momento más doloroso de mi vida, cuando por la fuerza me separan de mi verdadera familia a quienes yo amaba y consideraba como mi verdadera familia.

Cuando llegue a la casa de mis padres biológicos, yo sentía que ese no era mi lugar, yo había aprendido buenas costumbres era un niños formado y criado con buenos modales, sin embargo, el ambiente en el que ahora me encontraba era totalmente opuesto, eso provocó una crisis emocional que me llevo al borde de la locura, mi madre al verme sufrir me enviaba el fin de semana con mis tíos y eso me ayudo a superar en cierta manera esta dura experiencia.

A pesar de que yo viví toda mi adolescencia en un ambiente lleno de drogas, alcohol, orgias y todo tipo de inmundicia, logré mantenerme al margen de ese tipo de vida, decidí vivir de forma correcta, trabajaba y estudiaba.

Fue a los 25 años que me introduje en el mundo de la delincuencia, motivado por unos amigos, por causa de esa vida fui a parar a la cárcel, donde estuve preso por seis años, ahí comencé a drogarme, cuando salí de la prisión duré solo tres meses en libertad, debido a que por la vida desordenada que llevaba, fui nuevamente a la cárcel. Yo me abandone completamente en las drogas, hasta que un día por la causa de tantas drogas que consumía, me quede mudo, sordo y ciego, perdí el conocimiento y cuando voy recuperando la conciencia y el oído y mis demás sentidos, me doy cuenta de que estoy en las rodillas de un varón de Dios y podía escuchar las alabanzas, fue en ese momento que rendí mi vida Cristo y el me transformo de una manera poderosa.

Ahora me encuentro agradecido por ese gran amor de Dios para mi vida, porque no fui yo quien lo buscó, Él fue quien lo hizo, como dice el Apóstol Juan que nosotros le amamos a Él porque Él nos amó primero.

117

Testimonio de Gilberto Salvador Rosario
(República Dominicana)

Mi nombre es Gilberto Eumil Salvador Rosario, nací el 2 de febrero de 1988; mis padres fueron, Bartolo Salvador González y Eludina Rosario Bocio, a la edad de 11 años perdí mi padre y a la edad de 14 perdí mi madre, lo cual tiempos después por falta de ellos empecé a involucrarme en bandas y pandillas, a usar drogas, armas de fuego y en atracos o asaltos, etc.

A la edad de 18 años, ya profundizado en la delincuencia, que arropa mi país República Dominicana, me encontré con el asesino de mi madre; lo cual al verlo comencé a perseguirlo hasta agarrarlo y le di 8 disparos. Lo cual, me llevó a huir y andar prófugo de la justicia por casi 3 años. Ya a la edad de 21 años caigo preso y me envían a la Cárcel de la Victoria, actualmente estoy aquí de donde escribo este breve testimonio.

Por la muerte de aquel hombre fui sentenciado a los 11 meses a purgar una condena de 30 años y a 2 millones de pesos dominicanos por daños y perjuicios a los familiares del occiso.

Ya en la cárcel, abandonado por muchos, principalmente por mi compañera y la gran parte de mi familia de escasos recursos económicos, a los 2 años de estar en la prisión y teniendo toda clase de necesidades, fui encontrado y tocado por el amor de Jesús el Cristo.

A varios meses de esa experiencia me aparte del camino durante un corto tiempo, le di lugar a la depresión, pero me humille nuevamente ante los pies del Maestro y nuevamente me levanto del polvo. Aquí estoy con casi 8 años y medio en este en este Camino tan precioso que es el Evangelio de Jesucristo. A veces es difícil por el lugar donde me encuentro (en una cárcel), pero quiero decir que aún en este lugar (Cárcel La Victoria, RD) nunca me abandonó Cristo, siempre está conmigo y eso hace posible todo, puedo adorar de corazón al Rey de Reyes.

119

Hoy en día soy Co-Pastor de la Iglesia el cual asisto, Iglesia Evangélica. Pentecostal " Unidos en Cristo." Conocí grandes hermanos de la Fe y Ministros de la Palabra de vida que es el Evangelio, también trabajo con el Ministerio Bendecir, entre otros ministerios que han depositado su confianza en este humilde.

A través de pruebas, dificultades, debilidades y tentaciones, he visto a Nuestro Dios obrar grandemente en este lugar; con la Fe y la Esperanza de que pronto saldré a predicar el Reino de los Cielos y dar mi testimonio porque estoy seguro de que muchos jóvenes serán identificados por el mismo y El Señor en su Gracia los tocara y vendrán a este bello camino de Bendición y de Vida Eterna. "CRISTO VIENE PRONTO AMEN."

Testimonio de Carlos Rodríguez Reátegui
(República Dominicana)

Mi nombre es Carlos Fernando Rodríguez Reátegui, nací en las selvas amazónicas de Perú, entre las fronteras de Brasil, Colombia y Perú. Mis padres fueron Jorge y Rosario y soy el menor de 5 hermanos. Nací en el mismo día del cumpleaños de mi madre y al ser el último hijo era el más querido por mi mama. Una madre ama a todos sus hijos, pero siempre tiene más cuidado del menor y más aún que este haya nacido en el mismo día de su cumpleaños. Siempre nos celebraban el cumpleaños junto, era algo muy especial.

Quiero contarle este testimonio con el único fin de que sea para la Gloria y la Honra del único Dios Vivo y de Poder, Jesús de Nazaret, y para edificación de todo aquel que lea y en El crea.

Nací en medio de una familia atea y creyentes. Mi madre era creyente y mi padre y hermanos ateos. Cuando era un niño mi máximo sueño era ser un doctor que viajaba a hacer investigaciones espaciales, se conoce como astronauta, eso quería ser, pero uno es lo que uno quiere ser y otro es lo que El Señor quiere.

A mi madre le descubren un cáncer en el cuello uterino con ramificaciones en el hígado y páncreas, fallece al poco tiempo. Mi papá entonces en busca de mejor oportunidad se vuelve a comprometer y mis hermanos al ser adolescentes se fueron a buscar cada uno su propio camino. En pocas palabras toda la familia se desintegró al fallecer mi mama.

Yo siendo aún niño, me quedé solo a vivir en la casa por un tiempo. Fui adoptado por unos familiares que vivían cerca de mi casa y al no tener familia me sentía totalmente solo, a la edad de 8 años. Pero desde esa edad algo grande comenzó a suceder en mi vida, ya mis deseos de ser astronauta ya habían cambiado, ahora quería ser un santo hombre que sirviera a Dios y que viajará por el mundo haciendo misiones, tenía sueños

121

y visiones con Jesucristo, eran visiones tan seguidos que podía hablar con Jesús, ese mismo deseo fue puesto por el Gran Dios que hoy sirvo con tanto amor y deseo, y la palabra dice en el libro de Jeremías: 1:5.

Busque al Señor Jesús en la iglesia católica, hice todos los sacramentos que me pedían, porque en mi parecer por ahí era la forma de llegar a ser un santo y hacer misiones, pero primero tenía que ser un sacerdote católico, creía que ese era el camino, llegue hacer acólito y seminarista católico con la edad de 15 años, sabía todo el acto litúrgico para la celebración de una misa, era un adolescente muy estudioso y aprendía rápido, quería agradar a Dios.

Pero un incidente personal que no seré muy específico en relatarlo me aparto de esa visión en cuál estaba muy concentrado, me decepcione y me aleje de ese camino, me dedique hacer cosas malas, ya que en el lugar donde vivía se trafica mucho con drogas y se vive mucha violencia con la guerrilla y para mí eso era una manera de alejarme de todo la decepción que había pasado en busca del Señor en un camino equivocado, cuando tenía 15 años ya traficaba con drogas y también consumía marihuana, pertenecía a una red que traficaban y falsificaban.

A la edad de 16 años entre a la milicia de Perú para poder tener acceso a las armas y poder aprender a manejar todas ellas, el cual aprendí de inmediato. Dentro de la milicia conocí a personas que en vez de alejarme de ese mundo más me involucraron al mundo del tráfico de drogas. En el fondo de mi corazón sabía que lo que estaba haciendo era malo, y siempre oraba a Dios que me ayudara a salir del consumo y comercialización de drogas. Pero ese mundo es tan fuerte que una persona sin la ayuda de Jesucristo jamás podrá salir.

Así pase mucho tiempo teniendo una doble vida, pocos sabían que era traficante. Salí de la milicia he intente hacer una carrera universitaria, pero ese mundo nunca me dejo hacer nada bueno, todo lo que yo podía hacer era lo malo, y eso era algo que me dolía en el corazón, porque eso no era lo que realmente yo quería hacer de mi vida.

Quería ser un hombre de bien y no de mal, hasta que una noche estando en una fiesta drogado y borracho me aparté al baño del apartamento donde vivía he hice un pacto con el Señor; le pedí que me sacara de esa vida que llevaba y me mandara a un lugar especial que Él sabía que yo pudiera aprender de su Palabra y así ser un hombre santo como yo quería ser de niño. Le pedí con lágrimas en los ojos y con gemido de corazón. Pues el Señor me mando a una cárcel, él tenía escogido en ese momento. Por eso, aunque estés en una cárcel, o donde estés, quiero que sepas que Dios tiene un propósito para tu vida. Después de hacer esa oración me quedé dormido en el mismo baño en donde hice la oración y El oyó mi clamor desde su Santo Monte.

Yo estaba asistiendo de forma esporádica a una iglesia evangélica sin que nadie se enterara porque se iban a burlar de mí todos los amigos y las personas que conocía, por eso lo hacía en oculto para que nadie se enterase, solo mi amigo Juan quien me llevaba a la iglesia (El Señor siempre tiene un siervo que usa para traerte la palabra para tu vida, escucha la voz de Dios cuando te llama). Juan no sabía que yo llevaba la doble vida, pero sí sabía que yo no estaba en buenos pasos.

En ese tiempo un amigo de infancia se acercó y me propuso hacer un viaje a República Dominica llevar una droga de Perú para Santo Domingo. Eso era algo muy extraño ya que él sabía que yo nunca hacia viajes de esa forma, que alguien me mandara con droga, yo siempre hacia mi tráfico solo y muchos los que me conocían sabían que yo era muy solitario en ese tipo de negocio. Pero será por un propósito del Señor que lo acepte algo que yo nunca hacía por nadie.

Cuando llegue a Santo Domingo, República Dominicana ya la policía me estaba esperando, sabían mi nombre y toda mi descripción, hasta la forma que estaba vestido. Me arrestaron y me mandaron para la cárcel de la Victoria, una de las cárceles más pobres y con la más alta taza de sobre población de América latina y quizás del mundo, fue algo realmente terrible, estar lejos de tu tierra, en un país que nos es tuyo y más aún en una cárcel esperando una condena de 5 a 20 años.

Esa situación me lleno de odio y rencor contra todo, porque me enteré de que me habían usado mis supuestos amigos para que puedan entrar más droga al país por otro lado. Cuando me enteré fue algo que solo puedo describir con odio y rencor, solo pensaba salir de la cárcel para vengar y matarlos a todos los que me metieron en esa cárcel. Mas ahora cuando recuerdo todo lo que pase en la cárcel doy gracias a Dios que uso a esos hombres para traerme al mejor lugar de preparación que Dios pueda tener.

Cuando llegue a la cárcel todo era diferente para mí y me involucré más profundo en el submundo del tráfico dentro de la cárcel, porque pensé que esa era la mejor forma de sobrevivir en ese lugar y cuando saliera tener dinero para vengarme de los que me traicionaron, solo pensaba en eso, vengarme. Pero yo tenía un pacto que había hecho con El Dios vivo en el baño de mi apartamento en Perú, y te quiero decir que Dios es un Dios de Pactos. Escrito esta: "no tomarás mi nombre en vano."

Al pasar 6 meses de estar recluido algo sucedió en mi corazón, sentí un gran deseo de leer la Biblia, algo que no podía controlar, en ese entonces tenía problemas con bandas y pandillas que hay dentro de la cárcel, leí toda la Biblia desde Génesis hasta Apocalipsis y cuando termine esa noche cayó un fuego en el cuerpo que no podía controlarme, ni tampoco contenerme, pensé que era la droga y el alcohol que estaba consumiendo. Leía la palabra en la noche drogado y borracho, y oraba en ese estado, pero esa noche después de que mi novia me visitara, sentí la necesidad de orar. Como a la una de la madrugada cayo ese fuego que ahora entiendo es el fuego del Espíritu Santo, me pare y fui al baño de la celda y me puse de rodillas y entregue mi vida a Jesús, solo con el Espíritu Santo, tire toda la droga y el alcohol que tenía guardado. Al día siguiente cuando abrieron las rejas me acerqué a una iglesia evangélica y le dije al pastor que iba a congregarme en la iglesia, Iglesia. Pentecostal "Unidos en Cristo" que está dentro de la cárcel. Al poco tiempo me bautizaron en un tanque de agua.

Ya habían pasado seis meses desde cuando llegue, tenía problemas de droga con una pandilla y le pedí al Señor cuando estaba entregando mi vida a Él, que yo le serviría en espíritu y en verdad como él quería, con una condición, que yo iba a depender únicamente de Él y que me alejara a mis enemigos para que no me maten o que yo no matara a nadie, esa fue la condición que le pedí al Señor, ya que yo nunca comía la comida de la cárcel porque era muy mala y me dañaba el estómago y por eso le pedí que solo El Señor me sustentará como el sustenta a las aves.

Así mismo fue, al cabo de tres días a toda la pandilla le trasladaron a otra cárcel y más aún el jefe de la pandilla me dijo que no iba a pelear conmigo porque yo era un siervo de Jesucristo y que por favor orará por el antes que lo llevaran de traslado a otra cárcel. Así mismo lo hice y sentí la confirmación de que Dios estaba conmigo, la palabra dice; "cuando los caminos del hombre son agradables para Dios, aun a sus enemigos hace que estén en paz con él" (Proverbios; 16:7). También me acorde de lo que leí; "Dice el Señor a mi Señor, siéntate a mi diestra hasta que ponga a tus enemigos debajo de tus pies." (Salmos 110:1). Reclame esas promesas y El Señor me honro y entendí que no había nada más que se oponía en el servicio a Dios, me humille ante El y comenzó el nuevo nacimiento en mi vida.

Algunos que me conocían me querían hacer sentir mal diciéndome que perdí el valor, pero quiero decirte que no hay valor más grande para el hombre de ser llamado hijo de Dios y ser un siervo de Jesucristo.

Pasaron seis meses más y me sentenciaron a seis años de cárcel, desde que me convertí comencé a estudiar todos los cursos que podía, fui presidente de jóvenes por dos años, comencé a dar doctrina a nuevos creyentes entre ellos a Eumil y muchos hermanos que eran traídos por el gran maestro.

El Señor me usó para levantar dos iglesias, pude ser líder de cinco ministerios y pastor por casi tres años. Me buscaban las autoridades de la cárcel para hacer trabajos que ellos no podían hacer, que era en el alma de los internos, trabajamos en el área de los enfermos el cual levantamos una iglesia que se llama Iglesia de Jesucristo "Camino al Cielo"

Pasaron los años y me prepare para solicitar mi libertad condicional, todos me decían que no me iban a dar por ser extranjero y no tener una garantía para vivir y trabajar en el Santo Domingo, República Dominicana. Pero yo le creí a Dios que me dijo que me iba a sacar antes de tiempo para que cuando esté predicando su Santo Evangelio en el púlpito de diera la Gloria y la Honra.

Esa palabra la hice mía y junte todo lo que me solicitaba la ley para otorgar una libertad condicional, ya estaba muy cansado de dormir en el suelo ya que después que acepte a Jesús El Señor me quitó todo, hasta la cama y me hizo hacer silicio hasta el día que salí, más de 1800 días de silicio y más de 700 días de ayuno. Con toda esa confianza y seguridad en Dios me presente ante el juez y me otorgó mi libertad condicional, ahora termine de firmar (cumplir) y estoy dos veces libre, libre de la cárcel y del pecado.

Ahora soy locutor en una emisora, tengo un trabajo, predicó en las iglesias que me invitan, sigo siendo líder de ministerio y aunque haya pruebas y dificultades solo puedo decir: "En victoria estoy, canto con gozo y alabó al Señor. Aunque vengan pruebas y tribulaciones y muchas veces mi alma se aflige, pero en esta lucha yo no estoy solo Cristo está conmigo y en Victoria estoy. AMEN JESUS.

Espero que este pequeño testimonio sea de ayuda a todos los hermanos que tienen un propósito para El Señor y no lo entienden todavía, oren que Él le revele su propósito y tengan mucho valor, que solo los valientes arrebatan el reino de los cielos, más bendiciones y prepárese que CRISTO VIENE PRONTO...

Testimonio de Johnny Príncipe

"De adicto a Guerrero"

A mí no me obligaba un tirador, ni un dueño de punto; tal vez fueron las malas influencias que nadie me obligo conocer. Cuando las malas influencias se fueron, me quedé solo, abandonado, sin madre, sin hermanos, sin mujer, sin amigos, y con un vicio de nueve años (gastaba de 300 a 500 diarios), estuve en cuatro diferentes cárceles; la ultima Las Malvinas en el Rojo (máxima seguridad). Estaba en una celda encerrado 24 horas, para pacientes con problemas mentales, a pesar de que yo no era paciente mental. Antes de trasladarme a dicha Institución, me llevaron por cinco semanas al hospital del presidio "El Oso Blanco" en Rio Piedras, Puerto Rico.

El doctor en el área de admisiones entendió que mi condición física estaba muy deteriorada, ya que llegue con 118 libras de peso (mi peso normal es de 185 libras). Mi clavícula izquierda estaba rota, tenía infección en el hueso, con una hinchazón en el pecho que sobresalía de una a dos pulgadas. Tenía los tendones del brazo izquierdo roto en cuatro partes, sin movimiento debido a una golpiza provocada por un grupo de policías corruptos que querían dineros y joyas. Cuatro años más tarde, a estos policías, el FBI los arrestó.

Después de cumplir ni condena, Salí el mes de Septiembre del año 1997. Otra vez, el diablo me estaba esperando afuera. Volví a las drogas nuevamente, pero esta vez, el mal arropo a mi familia y a mi hermano menor de 19 años el cual cayo en las garras de la heroína, Un día llegue a casa y mi madre me pregunto si había visto a Edgar, y le conteste que no; pero le dije que no se preocupara, ya el sabia defenderse. Al pasar tres días y ver que no regresaba, algo dentro de mí me hizo sentir que ya no estaba con nosotros. Ese mismo día sintió mi madre lo mismo y me pidió que lo buscara.

Ese viernes por la noche, mi hermano Peter llego a la casa y nos dijo: "Mañana mismo vamos temprano al Cementerio Municipal. Que me dijeron que allí en el punto (Barrio los Chinos) en Ponce, les entraron a palos a alguien y lo tiraron en el cementerio." Al otro día temprano, mis hermanos, Peter, Philip, sus esposas, suegras, cuñados y yo, fuimos a buscarlo al cementerio. La suegra de Peter se nos acercó y nos dijo: "Vengan, que en aquella área hay un mal olor que sale de una tumba, y alrededor hay salpicadas de sangre y moscas." Nos acercamos y vimos una tumba completamente de cemento de donde salía un mal olor. Empujamos la tapa entre cuatro personas, y se veía con las manos en su frente como queriendo salir. Estaba tan golpeado, que me imagino que no tenía fuerzas para empujar la tapa de la tumba. ¡Si, a mi hermano lo enteraron vivo! Así con ese titular, salió en el periódico El Vocero, en primera plana, y en todas las noticias incluyendo "Ocurrió Así. "Por causa de todo lo que paso me sentí tan destruido, que esa misma noche sin conocer a Dios le pedí para que me guiara. Hable con mi madre para que me mandara a Orlando, Florida, a casa de mi hermano Willie. Llegué al otro día, estuve rompiendo vicio en frio por dos semanas. Empecé a trabajar y conocí a la que hoy es mi esposa Noribel y a la que Dios uso como instrumento para encaminarme, y llegar a ustedes para poder decirles que si se puede llegar al amor y al lugar correcto cuando uno deja que Dios sea nuestro guía. Dios me salvo con un propósito de llevar mi testimonió y mi música a todos los desamparados, drogadictos, atados, abandonados, confinados, y a todos los que se encuentran en un mal camino.

Testimonio de Leonardo Batista

El Pastor Leonardo Batista es fundador y presidente del ministerio Juan 3:16. Nació el 18 de enero del año 1964 en el sector de Villa Duarte Santo Domingo, República Dominicana hijo de familia pobre y humilde. Su padre Benigno Vázquez y su madre Lucila Batista. Sus hermanos: 5 varones y 6 mujeres. Es padre de seis hijos de diferentes mujeres; de profesión peluquero de patio.

A la edad de 16 años, año 1979, un hermano mayor me llevo al cine Siboney a ver una película, la cual contamino en nuestro país a los jóvenes, quienes al ver esa película quedaron influenciado por el diablo y 15 días después había más de 20 pandillas en Santo Domingo. Para el 1980 fui líder de los tigüeros de la américas. En ese ambiente conocí las drogas, consumía marihuana, perico, roynol y diasepan. En una pelea donde murieron dos personas de banda y banda, caí preso en el 1987 y salí ese mismo año, por una oferta del diablo de 500 dólares semanales para vender droga en el estado de New York. Llegué a New York en el 1989 y allí me convertí en narco traficante, líder de ladrones gatilleros y en el 1991 cayo juicio sobre nuestra pandilla.

En dos casos de enfrentamientos con la policía en el día de Halloween, 31 de Octubre de 1990 y a mediados de 1991, seis de los cabecillas caímos presos, rodando de dos grupos de persona a la cárcel por diferentes delitos de intento de asesinato a policías de NY en diferente lugares y otros pleitos juveniles donde hubieron varios heridos y homicidios. Dos de los grupos les dieron 25 y 30 años de prisión y Dios permitió que a mí me dieran solo tres años por la misericordia de Dios. Porque había propósito conmigo y mi compañero de expediente. Pero violé parol, me arrestaron en 1999 y me enviaron para la prisión Groberland Correctional donde allí Dios trato con mi vida y fui restaurado, con la ayuda de DIOS y con la ayuda del penal, saliendo de ahí listo y preparado para toda buena obra a las calles.

Salí de la prisión en el año 2001 y en mayo del 2002, Dios empieza a enviar delincuentes y adictos a mi residencia y me metió en la visión y misión creando un ministerio con el nombre Juan 3:16 Centro de Tratamiento y Adictos; y me hace Dios líder de la pandilla más linda que hay en la Tierra: los que van para el cielo. Hemos logrado restaurar más de 3000 familias por la Gracia del Señor, a Él sea la gloria, amen.

¡SOLO DIOS HACE AL HOMBRE FELIZ!

Testimonio de María E. Pagán

Mi nombre es María E. Pagán, reverenda y ministra ordenada por la gracia de Dios, tengo 37 años nacida en Caguas, Puerto Rico. Criada en el Pueblo de Gurabo. Desde muy recién nacida fui dedicada al Señor y criada en el evangelio, hija de Pastores, pero desde muy niña fui muy enfermiza llena de muchos problemas de salud, aun así, Dios tenía un propósito conmigo.

A la edad de 9 años le dejaron saber a mi madre que yo no podría tener hijos, tenía problemas con mi útero. Eso era la noticia más fuerte y dura para mi madre el saber de esta situación, pero ella nunca perdió su Fe.

A la edad de 15 años hubo un evento muy fuerte en mi vida en mi hogar; salí de mi casa a tan corta edad a enfrentar la vida y recibir más golpes de la misma. A los 16 por los fuerte golpes de la vida, tuve un hijo Jaysoneth (Jeziel), como Dios lo llamo en mi vientre y me dijo que sería un gran profeta y que tendría visiones, pero que en su vida tendría muchos tropiezos. Dios me lo dio y lo dedique a Él porque sabía que era una bendición, ya que el medico había dicho que no podría tener hijos. La primera palabra y la ultima la tiene Dios.

Fue después de este embarazo que tuve mi primer evento con células cancerosas en mi útero. Al pasar los años en el Centro Médico de Rio Piedras Puerto Rico me indican que tendrían que congelar mi útero. Cómo joven de Dios nunca perdí la Fe, pasaron los años, contraje matrimonio y entre en tratamiento para poder volver a tener un bebe, fue mucho tiempo en espera, pero Dios contesto nuestra petición me dio a mi segundo hijo Jeroham Jireh, un niño también con propósitos y con llamado Pastoral.

Luego pasaron unos años siendo aún muy joven e inmadura ante muchas cosas, me aparté de Dios y conduje mi vida a pasos no muy agradables hasta que llego la destrucción en mi familia, en mi hogar. Luego de algunos años de andar en el mundo queriendo ser la súper mujer rebelde, llena de ira, dolor, rencores, etc., por todo lo ocurrido, Dios me venía llamando a prisa y yo desobediente no quería escuchar la voz del Maestro, deseaba continuar con mi vida. Pasaron muchos eventos trágicos, doloroso, y en medio de todo esto llego una persona se acercó a mí y me dijo: Te invito a retiro; te gustaría; y yo le dije sí, pero si comienzan a exigir que me convierte me voy. Él me dijo: Solo deja que Dios sea quien te acaricie y deja que El toque tu corazón herido. Acepte la invitación, pero antes de que llegara ese retiro pierdo lo más preciado para mí, mi abuela y luego recibo la noticia que me iban hacer una biopsia para sacar mi útero. Llame al joven y le digo: No voy para allá porque estoy destrozada, la vida para mí no tiene sentido. El con una voz suave me dice: Mujer, Dios te está llamando, no sabes que Dios puede cambiar toda tu historia. Llego el momento de ir al retiro y fue lo mejor que pude haber hecho. Aunque había sido nacida y criada en mi niñez en la iglesia, pero fue en aquel lugar donde pude sentir el abrazo de Jesús y poder entender que El perdonaba mi pasado y curaba mis heridas y que podía restaurar mi vida y poder ser una nueva mujer.

Luego paso un largo tiempo, comienzo una nueva vida y en un momento menos esperado, Dios pone en mi camino a este mismo joven, el cual me pidió ser su novia, yo le dije; ¿Estás loco, perdiste la noción del tiempo muchacho? yo no puedo ser tu novia, yo no puedo darte hijos ya tengo dos que Dios me dio por su misericordia, pero ya estoy pronta a sacarme mi útero que no sirve. El me miro y me dijo: Tranquila, tú serás mi esposa y serás la madre de mis hijos yo lo miré y le dije: Estás loco. Pasaron dos años y me case con ese joven, luego quede embarazada, pero mi ginecólogo decía que no podía ser. Antes de hacerme la biopsia, me hace una prueba de embarazo, tenía una semana de gestación. El doctor asombrado me dice: Vamos a ver como ira este embarazo, es alto riesgo, lo sabes y yo le dije si lo sé.

Continúe con mi embarazo y a los 4 meses de embarazo muere mi criatura, venia mal y no estaba bien formado; sus piernas estaban pegadas. El golpe fue muy duro, deseando operarme y le dije a mi esposo: No podrás ser padre yo no puedo darte hijos, vendrán enfermos por mi problema. Su fe era tan grande que él me dijo: Mujer de poca fe, porque dudas, te diré lo mismo que te dije hace 4 años atrás serás mi esposa y la madre de mis hijos.

Perdí la criatura, fue una operación tremenda, pero aun así no extirparon mi útero. Ese mismo mes en mi iglesia había campaña de niños; mi esposo era un hombre que venía de la iglesia católica, pero su fe era enorme yo venía de la iglesia Cristiana Emanuel Juncos Puerto Rico, de doctrinas muy distintas, pero ese día le digo acompáñame al templo hay campaña de niños, acepto y durante el culto llega un Evangelista llamado Alex Santiago, un hombre sanado de sida que se dirigía a otra iglesia y se perdió y termino en la nuestra. Los pastores lo presentaron y fue ese joven quien expuso la palabra esa noche. Le dice a su esposa tráeme esa muchacha, esa muchacha era yo. Pase al frente y él me dice: Mujer, que testimonio terrible tienes y lo que falta, pero hoy Dios te dice no le digas, ¿por qué Señor? Me pregunta: ¿El joven que está a tu lado es tu esposo? le digo: si, le voy a pedir que venga. El paso al frente se arrodilló en altar inclino su rostro y solo lloraba, y Dios le dijo: No llores más por tu dolor, lo que venía no venía bien, pero veras mi gloria y me conocerás; te voy a mover y muchos se vendrán en tu contra por el cambio que vas a hacer. El profeta dijo: Recibiré noticias de ustedes en dos meses y me dice: Tu proceso será largo, pero en todo Dios estará contigo.

En dos meses quede embarazada de mi hija, una hermosa princesa. Me operaron para no tener más niños; cortada y quemada cuando la di a luz, y luego en espera para sacar mi útero. Voy a mi iglesia y viene un pastor donde mí y mi esposo y me dice: Señor, mira lo que su vientre ha concebido, tu Señor dijiste que una bendición grande les daría, tú eres su suplidor y tú tienes el control de su salud. Salgo del servicio y le digo al pastor que estoy operada y pronta a extirpar mi útero porque no sirve, y el pastor me dice: Mujer los misterios de Dios son grandes, solo confía. Me fui a mi hogar, pero con esas palabras en mi cabeza. Luego pasaron los días y comencé a sentirme mal, vómitos, fiebre, mareos etc. Voy al hospital y me dicen que tenía dengue, me dejan en el hospital Hima de Caguas Puerto Rico donde hacen todos los estudios y todo indica que no había dengue, la doctora en ese momento me dice: María lo que queda es hacerte una prueba de embarazo y yo le digo imposible yo estoy operada y esperando para sacarme mi útero porque no podría tener otro hijo, moriría y a mí me dará un ataca al corazón, pero en esos momentos no recordaba las palabras de aquel Pastor. Proceden hacerme la prueba de embarazo y tenía tres semanas de gestación. Hice rápidamente cita con mi ginecólogo y el me indica que tenía que hacer un aborto porque esa criatura no podrá nacer, el útero parecía una pasa lo iba a perder otra vez. Yo cerré mis ojos, miré a mi esposo y volteé a mirar el doctor y le digo: Yo no creo en aborto, mis padres nunca me enseñaron tal cosa, si Dios me lo dio, voy a correr el riesgo de tenerlo. El doctor no estuvo de acuerdo me dijo que podría salir enfermo o con alguna anormalidad yo le dije: Dios da hijos especiales a Padres especiales yo me voy a correr el riesgo. El doctor no quiso continuar con mi embarazo me enviaron aun medico de alto riesgo. Debido a que él decía que era imposible estar embarazada porque él había operado bien había quemado y cortado. Pero para Dios no hay nada imposible continúe con mi embarazo. La prueba de síndrome down dio positiva y volvieron hacerme la misma pregunta, recomendándome un aborto. Volví a contestar lo mismo que había dicho cuando recibí la noticia anterior.

Llegó el momento del parto, fue un embarazo de alto riesgo muy complicado, pero yo no perdía la fe. Al fin nació Jabes Joneth, tenía su cabecita muy grande y traía su lengua pegadita y abiertita al frente. En ese momento la sala se llenó y el doctor Berríos le dice a mi esposo: Ven para que tú mismo veas esto, la sala de parto llena; yo no sé cómo esta mujer está viva y este niño, porque esta matriz no sirve es como una pasa. Todos maravillados, y el doctor le dijo: Yo no soy cristiano, pero cuando todo esto termine, vayan a su iglesia y denle gracias a Dios por ese niño y por tu esposa, porque esto un milagro.

Ese doctor no pudo sacar mi matriz, porque ese no era su trabajo, en ese momento le indico a mi esposo que el medico anterior hizo bien su trabajo, todo está operado y quemado, no tenía por qué operar para no tener hijos ya que todo está bien aquí, excepto su útero que no sirve.

Me enviaron para Boston Massachusetts y fue en ese lugar donde comenzaron unas hemorragias horribles, no paraban, pasaba más tiempo en el hospital, pero no sacaban el útero. Llegó el momento que mi salud empeoro mucho más y aun también trabajando con el niño. El Pediatra del niño nos indicó que no podría hablar y yo dije a Dios que si tú me lo diste a ti sea la gloria. Le operaron la lengua y pusieron un casquito en su cabecita porque la parte de atrás de su cabecita no había desarrollado bien, pero Dios había depositado una palabra en este niño y yo seguía creyendo en esa palabra.

Con el tiempo me cambie de medico porque veía que mi condición cada vez era peor, llegue a otra clínica llena de temores fue en aquel lugar donde recibí la triste noticia que tenía cáncer en mi cérvix y en mi útero. Los médicos decían cómo es posible que viendo todo el historial de salud de esta joven no la operaran yo también pensaba lo mismo, pero a la misma vez decía que el propósito de Dios se tenía que cumplir. En medio de toda la situación Dios se estaba moviendo en todo lo que estaba sucediendo y comencé el tratamiento. Pase a hacerme una herostomía parcial, extirpan mi útero y mi cérvix. Pero aun así el proceso fue duro, luego llegaron otras condiciones más fuertes y mi salud seguía deteriorando. Uno de los más grandes impacto fue la depresión mayor en la que caí, fue muy difícil, mi sistema nervioso empeoro y llegue a estar en cama y silla de ruedas. Veía como mi vida cambió drásticamente, perdí mi trabajo, mi casa, ya no tenía vida social, me daba vergüenza salir y que me vieran como estaba.

Pasaron unos dos años y el medico recomendó un cambio porque el frio me auto destruía más el sistema. Llegué a la Florida fui operada de emergencia, porque uno de los ovarios tenía un quiste muy grande y era canceroso, otra vez otro golpe, me operan, pero la operación se complicó fue ahí que le dije a Dios: Llévame contigo no soporto más las agujas, los doctores, no puedo disfrutar con mis hijos, mi vida se ha convertido todo en hospitales y doctores, sentía que no tenía fuerzas. En eso, sufro un infartó el cual afecto mi sistema, el corazón estaba muy grande y de todas las inyecciones, esteroides y todo lo que me ponían a diario, iba cada vez más empeorando.

Pasan un año de esa cirugía, me quedaba un ovario, mi sistema inmunológico colapsaba; la anemia acababa con mi vida, fuertes trasfusiones de sangres, hospitalizaciones una y otra vez no salía del hospital, el corazón cansado, el sobre peso de tantos medicamentos que me estaba matando. Comencé con unos fuerte dolores en mi vientre y en mi pierna derecha no podía soportar el dolor todo el tiempo me faltaba el aire cansada y débil. Le comento a mi doctora y le explico todo mi historial ella me dice: María, puede ser que tengas problemas de la anemia y el oxígeno en tu sangre. Comienzo a notar que no podía hacer bien mis necesidades eso me asusto; no fue hasta que me dio un fuerte dolor que sentía que desgarraba el vientre y fui a la sala de emergencia. Pedí hablar con un ginecólogo, me realizaron unos estudios y la gran sorpresa, tres quistes, uno positivo a cáncer y el endometrio, y tejidos anteriores amarrando mis órganos, obstruyendo mi intestino, por lo que no podía hacer mis necesidades normales.

Comenzaron tratamientos rápidamente, perdí el apetito, todo era horrible. El cansancio, las fiebres, las terapias, las trasfusiones, pero lo más grande fue cuando me manda a buscar mi doctor y me dice: María la operación va hacer pronto, no podemos esperar más, todo está pegado y aún no sabemos que vamos encontrar, porque tu intestino está muy tapado y no sabemos hasta donde ha corrido el cáncer. Yo le pregunte al médico: Cuantos días me quedan. Y él me dijo: No digas eso mujer, aun no lo sé. Y le vuelvo a preguntar: Cuantos días me quedan doctor. El solo me miro con una mirada muy triste y me dice: Deja todo listo, pero solo Dios sabe cuántos días te quedan, eres una guerrera de la vida y eres joven y con una Fe inmensa y todavía tienes mucho que hacer; prepara todo, no sé qué vaya a pasar en esa operación; ya viste lo que sucedió en la anterior todo se complicó.

Salí de ese lugar y llame a mi madrasta llorando, le explico lo que estaba pasando y ella me dije hija confía en Dios. Llegue a mi hogar, hice ciertas llamadas, prepare hasta mis gastos finales, llame a mis hijos. Pero llego el domingo y fui a una pequeña iglesia. En esa iglesia Dios uso al Pastor y sin conocerme vino hacía mi dónde estaba con mis otros dos hijos más pequeños los cuales no sabían nada de lo que estaba ocurriendo. Él se acercó y me dice: Deborah, así te llama Dios, eres una guerrera, has peleado grandes batallas, pero hoy llegaste aquí y mientras venias de camino me decías hoy será el último día con mis hijos en la iglesia, ¿que será de ellos cuando no este, que pasará con mis hijos Señor? Dios seguía hablándome y me decía: Por las noches no duermes pensando en dejar todo en orden, te sientas a la orilla de sus camas y los observas y te dices, no los veré crecer, no los veré casarse, ¿Dios mío por qué? Mientras Dios hablaba, mi corazón latía rápidamente sentía que saldría del pecho, pero aun así Dios me dijo: Mi niña mimada eres mi perla preciosa y tú no vas a morir, porque ahora es que vas a vivir, hoy tu vida comienza, hoy habrá un milagro y tu ministerio continuara y llevaras mi Palabra, porque hay muchas mujeres esperando por ti; tu tiempo no ha llegado. Los que se sentaban contigo y luego por la espalda te enterraban el puñal, los pondré delante de ti y veras tú lo que voy a hacer. Se abren puertas y entraras y cenaras con ellos porque te pondré en gracia ante muchos que te desearon la muerte, porque hubo muchos que pusieron precio a tu cabeza, decían se va morir, no saldrá de esta, y de todas te he librado porque grande es el llamado y casa de ministerio te he entregado, y a naciones te llevare y veras lo que yo hago contigo, porque yo me voy a glorificar para avergonzar a muchos. No es tu final, hoy te doy un nuevo espíritu de vida.

Esas palabras desgarraron mi alma, fui al día siguiente a mi operación muy tranquila, confiada en que Dios lo haría otra vez. Llegué allí, estaban las enfermeras preparándome, me despedí de mis seres queridos, luego llego mi doctor y me dice: María estas preparada, ya sabes lo que te dije, no se conque me voy a encontrar. Yo le dije: Doctor haga su parte que Dios ya hizo la de Él, Dios está en control y Él es mi cirujano por excelencia. El doctor me dice: Mujer eres una guerrera, no sé cómo has soportado tanto. Yo le respondí: Dios tiene un propósito. El doctor me dice: María, son 3 días que tendrás que estar aquí en recuperación. Y yo le digo: Yo me voy hoy mismo El me miro y le dice a mi madrastra: Es tremenda pero fuerte. Me ponen la anestesia y cuando desperté ya todo había acabado. El médico le dijo a mi madre: Es una mujer fuerte no sé qué paso, pero su intestino estaba teniendo movimientos sacamos los tejidos, estaba pegando el estómago y parte de sus órganos, pero sacamos los quistes llenos de sangres; estuvo a punto de una hemorragia interna, pero operamos a tiempo y el cáncer no se corrió como pensábamos; es otra victoria más en la vida de esta mujer tan joven. La gloria sea para Dios y gracias a ese ejército de oración por mi persona.

Dios volvió a glorificarse una vez más, perdí 89 libras en medio de todo este proceso, pero la Gloria es de mi Dios. Cuando salgo de la cirugía el médico me dice: María, yo le dije al cirujano del intestino que, si todo sale bien, le voy a decir que podrá irse hoy mismo a su casa con supervisión de su enfermera y así mismo fue; firme todo y ese mismo día estaba con mi familia cenando en casa. Dios se glorifico una vez más y de una manera muy especial.

A veces no entendemos el proceso hasta que no vemos hacía donde Dios nos está guiando, confía en Él que lo hará porque la primera y la última Palabra la tiene mi Señor Jesús.

Agradezco a todos mis hermanos en Cristo, al Dr. Capellán Marcos A. Toyens y la Dra. Mirna Quiñonez, por creer en mí.

Testimonio de Elías y Rossie Encarnación

Hay veces que la vida nos golpea muy fuerte, pero nuestro triunfó dependerá de nuestra relación con Dios. Hay golpes que te pueden quitar la vida, hay otros que te pueden afectar toda la vida y hay otros que sólo te afectan a corto plazo. Y así comienza mi historia. Mi nombre es Rossie Encarnación, soy sierva de Dios. Nací en cuna católica y asistí a colegios católicos; fui maestra de catecismo y cursillista; más mi llamado era otro. Dios me había dado unos dones los cuales aún no había entendido; ya que era católica y no leíamos la Santa Biblia.

A pesar de no conocer la palabra de Dios; yo tenía muchas dudas y las compartía con los sacerdotes católicos. No entendía por qué los feligreses se postraban ante las estatuas, las adoraban y les pedían favores. No entendía porque hacían promesas vistiendo de blanco completo por meses para alcanzar algo lo cual nunca llegaba. No entendía porque le hacían los rosarios a las personas que morían, ya que sus creencias religiosas indica que el espíritu iba al "purgatorio" por sus pecados y había que hacer el rosario para que sus pecados fueran perdonados. No lo entendía y sus explicaciones no me convencían. Nunca me postre ante esas estatuas ya que yo sabía que tenían ojos más no veían, tenían manos y piernas más no se movían, tenían oídos más no escuchaban. Y más aún fueron hechas por un hombre. Para mí siempre hubo un solo Dios y me gustaba hablar con ÉL.

Mi tía perteneció a la Iglesia Pentecostal y prácticamente toda la familia estaba en contra de ella, ya que ellos todos son católicos. Me acuerdo una tarde de que estaba hablando con mi tía y me dijo estás palabras "EL Señor tiene algo para ti muy especial, pero va a ser en SU tiempo. Entonces encontrarás la respuesta a todas tus preguntas". Yo tenía alrededor de 14 años y respetaba sus creencias religiosas. Y puedo decir que el tiempo de Dios es perfecto. Hubo muchas cosas que yo no entendía, y a mis 38 años, es decir 24 años después tuve que pasar por una enfermedad para poder tener un encuentro con el Dios verdadero, el Dios de Israel con cuya presencia estoy.

Para finales del año 2008 me diagnosticaron con masas que se estaban multiplicando rápidamente en el hígado, las cuales se habían regado en toda la parte baja de mi abdomen. Mi especialista y cirujano me indicó que tenían que operarme de emergencia antes de que las masas se siguieran propagando. Así que me refirió al cancerólogo. Me indicó que le dejara saber a mi familia en caso de que yo perdiera la vida en medio de las cirugías. Entonces yo le pregunté ¿cirugías? ¿más de una? Y el me respondió; "hay que remover los tumores del hígado, hay que hacerte una histerectomía total y hay que remover la vesícula". Un total de tres cirujanos llevarían a cabo la extensa cirugía.

Me acuerdo de que me quedé muy tranquila y mi cirujano se sonrió y me dijo "estoy asombrado en la manera tan calmada que has recibido la noticia" y además me dijo "yo he tenido hombres que se han desmayado cuando les doy semejante noticia". Entonces le respondí "yo creo en Dios y me iré cuando ÉL diga, y estoy tranquila". Sé que todos vamos a morir algún día.

Llegó el momento de las cirugías, y no, no me despedí que mi familia. Por el contrario, les indique que no había nada porque preocuparse. Cuando desperté de la anestesia me acuerdo de que mi cirujano me dijo que desafortunadamente había demasiados tumores que ya se siguieron multiplicando. Y me indicó que me había dejado un pedacito pequeño de hígado. Me explicó que el hígado se regenera y que me tendría que operar nuevamente.

Estuve hospitalizada por tres semanas. Al cabo de seis meses una de mis amigas me invitó para que fuera con ella a un culto pentecostal, porque el pastor de esa iglesia Dios lo usaba grandemente. Lo cual accedí y asistí. Mi amiga tenía mucha razón en cuanto al pastor, de la manera en que Dios lo usó ese día.

En medio del culto me señaló y me dijo que Dios tenía un mensaje para mí y que me amaba grandemente. Yo no entendía en esos momentos lo que estaba sucediendo, ya que todavía era católica. Al final mi amiga me dijo que pasara al frente con ella, lo cual sentí en mi corazón que debía de hacerlo.

El pastor me dijo todo de mi cirugía y los tumores, me señaló el área de mi cirugía. Me dijo también que EL Señor quiere que sepas que no te van a volver a operar del hígado. Y me dijo muchas cosas más que sólo yo sabía. Entendí entonces que Dios usó a ese varón para darme palabra. Hice mi profesión de fe y desde ese momento me dio la sed de conocer quién verdaderamente es Dios.

Mi vida espiritual dio un giro precioso. Ya voy leyendo la biblia completa por segunda vez. Me maravillo al ver y sentir el poder de Dios. Mi fortaleza viene sólo de ÉL.

Ese es una pequeña porción de mi extenso testimonio. Está victoria la conseguí a través de Dios que hizo el milagro, porque Jehová Rapha puso su mano sanadora en mí, porqué cuando Dios tiene propósito para tú vida no hay diablo que te lo pueda desviar de ese propósito. Te amo mi Dios.

Estoy casada actualmente con un hombre y evangelista de Dios llamado Elías Encarnación. Somos misioneros y nos fascina llevar la Palabra de Dios. Este año 2017 viajamos como misioneros evangelistas al bello país de Guatemala. Allí tuvimos 3 días de campaña en diferentes iglesias. Se convirtieron alrededor de 35 personas para la gloria de Dios. Llegamos hasta Huehuetenango Agua Dulce Cuilco Boquerón y el pastor de La Iglesia de Dios nos indicó que fuimos los primeros extranjeros en visitar su iglesia para la gloria de Dios. Repartimos ropas, predicamos y visitamos. Fue una experiencia maravillosa. Gente muy buena y humilde. Allí nos quedamos una semana y luego bajamos para Villa Hermosa en Guatemala para predicar en otra iglesia. Nos trataron muy bien. Pero sabemos que el enemigo se levanta cuando hacemos el trabajo de Dios.

Mi esposo se enfermó mientras estábamos en Guatemala, le dio amebiasis, ya que se estaba comiendo las frutas sin lavarlas. Estuvo muy enfermo del estómago, hasta que buscaron una enfermera y le administró unos medicamentos los cuales le combatieron la infección.

El mismo día que llegamos a la Florida, tuve que llevarlo al hospital de emergencia ya que se sentía con mucho dolor en la vejiga. Luego le recomendaron que fuera a un urólogo; él cual luego de hacerle el examen médico indicó que mi esposo podría tener cáncer en la próstata. Fueron unas semanas de dolor y exámenes, para la gloria de Dios los resultados vinieron negativos. No tenía cáncer, pero sí la próstata muy alargada e inflamada. Había que someterlo a una cirugía para removerla. Gracias a Dios que salió en victoria. Porque nuestra victoria la alcanzamos en nuestras rodillas, la alcanzamos poniendo nuestra fe en acción. Porque tenemos a un Dios de poder, a un Jehová de los Ejércitos que pelea por nosotros. Y así como lo hizo con mi esposo y está servidora; así mismo lo hace por ti. Dios nos da la victoria. Porque, aunque el diablo ruja, Dios lo calla. Porque si el enemigo se levanta contra ti, Dios te defiende. Aunque el enemigo se levanté como río; Jehová levantará bandera. No te olvides que el diablo vino a robar, a matar, a engañar y a destruir, más Cristo vino a dar vida y vida en abundancia. Dios te bendiga.

Testimonio de Consuelo Charron

Dios me salvo' a la edad de 10 años en Colombia. Fue la experiencia más linda de mi niñez y cuando me bautice a los 13 años y en la iglesia venían muchos misioneros del barco hospital que iba a África, y misioneros que se hospedaban en nuestro hogar ya cristiano, nos contaban maravillosas historias de sus viajes, y yo veía el amor que tenían por predicar del amor de Jesucristo. Un día a los 15 años antes que papa muriera en un accidente hable con mis padres y ellos me dijeron que podía ir a misiones y ellos me apoyarían, pero sin antes tener una carrera, para poder servir con ella mejor a los necesitados y compartirles a través de ella el amor de Dios.

Papa murió a los 17 años y fue muy duro; pasamos mucha tristeza y mama decidió venir a los Estados Unidos pues la situación era difícil en Colombia. Trabajamos muy duro y estudiamos inglés, finalmente con la vía de estudiante logré tener mi permiso de trabajo y pude estudiar asistente dental; me gustó mucho trabajar con Dentistas y ayudar a mis pacientes. Fue así como aplique al barco de Misericordia "Anastasis" en 1996; el barco estaba en Madagascar y fue a Sur África También. Tenían grupo de drama, evangelismo y de marionetas para los niños. Íbamos a las aldeas a predicar el amor de Cristo y su salvación; a través de la música y el drama mucha gente creía y para mí era un gozo estar allí sirviendo También como asistente dental.

Dios me sorprendió cuando unas 3 semanas de llegar al Barco conocí a mi futuro esposo; Dios fue bueno y fiel a su promesa. Mi esposo es un hombre de Dios que le ama y estuvo sirviendo en el barco por 3 años antes que yo llegara. Dios derramo su amor entre nosotros y nos casamos después de 6 meses. Regresamos a América para trabajar y server en la iglesia local; en el año 2000 regresamos al barco en Gambia, West África por 4 meses y Dios nos usó grandemente predicando entre los musulmanes. Al regresar a América Dios me dio que debía ser dentista para poder ayudar más a la gente. Yo no tenía idea ni dinero, no sabía cómo y dónde iba a estudiar. Finalmente, después de mucha oración y de recibir confirmación de Dios;

el abrió puertas en México para estudiar odontología; fueron 6 años de estar viajando y viniendo para ver a mi esposo; fue difícil para nuestro matrimonio; ero el me apoyo en todo porque estábamos convencidos que era la perfecta voluntad de Dios para nuestro ministerio.

Ahora que han pasado ocho años después de mi graduación, no sé cómo lo hice para tener tantas fuerzas para dejar a mi esposo e ir a estudiar y viajar; la sabiduría y gracia se derramo en mí. Hoy le doy Gloria a Dios porque ya siendo Dentista he podido bendecir a tantas personas alrededor del mundo; les he devuelto la sonrisa y les he quitado el dolor de muela; pero aún más importante les he compartido el amor de Dios que ese n Cristo Jesús.

He podido regresar a África muchas veces, he ido a orfanatos, a casa de niñas abusadas a Iglesias en Kenia, Uganda, Sudan a los campos de Refugiados de gente que lo ha perdido todo y corre para huir de la Guerra. También a Guatemala, Republica Dominicana y otros muchos países. Pero lo más importante que te quiero compartir hoy; es que mi vida ha sido una Aventura; llena de experiencias y de personas que Dios ha puesto en mi camino, para hablarles de Dios. Tú puedes ser usado con tus dones y Carrera. Si Dios ha puesto un sueño en ti; no será imposible, solo ora y escucha su voz. Dios abrirá camino y puertas donde tú piensas que nos las hay; y tu vida tendrá completamente el sentido para lo que fuiste creado.

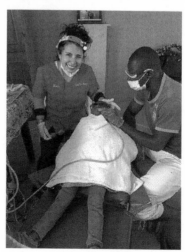

Testimonio Mirna L. Quiñones

Mi nombre es Mirna L. Quiñones, Reverenda ordenada y capellán ordenada y vicepresidenta The Great Commission of the Chaplain International Corp. Tengo 51 años nacida en el pueblo de Manatí, criada en la urbanización Flamboyán del mismo pueblo. Mi infancia y adolescencia transcurrieron normal como la vida de cualquier otra persona.

Vivía con mis padres y mis dos hermanas mayores así que yo era la menor. Mi papa trabajaba y mi mama se quedaba en la casa. Como era casi siempre en esos tiempos.

Pero en el 1985 mi vida fue impactada por un suceso que me marco, cuando eres joven ves las cosas diferente y todo te afecta, en septiembre de ese mismo año se supone que me casaba con mi novio de compromiso y dos semanas antes de la boda simplemente me dejo. Es una traición una perdida eso dejo una huella de desconfianza en mi corazón. Paso el tiempo y creí ya estar sanada, cuando pasa los anos conozco a alguien más y en el 1988 me caso cuando todo estaba bien cuando llevábamos una vida buena tengo a mi hijo, y mi esposo era policía y un dio de abril del 1990 es asesinado en sus labores, otra perdida más. No es nada fácil quedarse joven sola y con un bebe de 8 meses no puedes entender por qué por la cual esto pasa y ahí me sentí tan rebelde y en contra de Dios, porque si es un Dios tan bueno y de amor a mí me pasaba esto.

Tenía 24 años cuando eso sucede mi vida se llena de rencor y pensaba que mi vida no tenía sentido y la situación anterior se une a esta nueva y el enemigo comienza a trabajar con tu mente y comienza ese pensamiento de no sirves, tu vida no vale nada y que si él era joven y murió tu ceras la próxima pensaba en cualquier momento mi vida terminaría, pero no me importaba salía con mis amigas a discoteca y night club, pero siempre Dios me guardo, no lo veía de esa manera en aquel entonces, pero así era. Varias veces me fui temprano de esos sitios y después me enteraba que había balaceras y en una ocasión hasta muertos, pero siempre me había o antes, realmente Dios me había guardado.

Pasa el tiempo y seguí preguntándome porque yo porque no puedo tener una vida normal y una vida que no tenga tantas cosas que no podía entender, conozco a mi vecino y comenzamos a hablar él era apartado y tenía también sus decepcionas con la vida y ya de novios me dice oye porque no vamos de visita a la iglesia que yo antes iba y fuimos él se reconcilio y yo me convertí no era una proceso fácil y tampoco rápido a veces pensamos que vienes a Cristo y todo es color de rosa pues no es así, y las cosas se complicaron él estuvo un tiempo y como tenía cosas que Dios tenía que cambiar pues siguió con la bebida y yo deje de salir con él y decidí luchar porque entendía en ese momento que había algo que Dios quería hacer, si entendía que Dios tenía propósitos en nuestras vidas y un día Dios realmente toco su corazón y su cambio fue completo como un verdadero siervo de Dios. Te haré entender, y te enseñaré el camino en que debes andar: Sobre ti fijaré mis ojos. (Salmos 32.8 Reyna Valera 1909)

Luego de varios anos de alta y bajas y pasando por momentos difíciles en nuestras vidas llego el momento que ya yo no soportaba la vida me afectaba todo lo que estaba a mi alrededor y decidí y mudarme a la Florida eso fue en 1999 le comunico a él y me dice si Dios haber la puerta nos vamos y así fue Dios nos abrió la puerta vinimos a Florida ya con un apartamento alquilado y sin trabajo y solo 3,000 dólares pero como Dios estaba en el asunto a la semana ya él tenía trabajo no era lo que él quería pero había que trabajar con 2 nene péquenos y deseos de salir a delante conseguimos una iglesia hispana y comenzamos ahí, luego de los eventos del 2001 de las torres gemelas el mundo cambio y nos movimos a Winter Haven compramos una casa y entonces pero todavía en mi había cosas que no me dejaban avanzar entre ellas que no me había casado porque yo no quería, y comencé a no ir a la iglesia y el siguió yendo pero sin poder tomar parte por no estar casados. Pero como para Dios cuando él tiene propósitos contigo te va llevar a tu destino profético si o si aunque tú te resista y para el 2004 hubo una situación con mi hijo de enfermedad y fue muy pero muy difícil y un día cuando ya daba todo por perdido fui a un lago y le dije Señor si tu sanas a mi hijo si tú le das lo que necesita te prometo que me caso hago las cosas bien y te sirvo, después de llorar muchísimo ese día cuando llego a mi casa la llamada que tanto esperaba todo con mi hijo estaba funcionando que rápido Dios comenzó a contestar, pero ahora me tocaba a mí, y le pedí matrimonio a mi compañero de 12 años, ja jajá, no es lo usual pero me tocaba porque él me lo pidió muchas veces y yo no quería. Y en diciembre del 2007 nos casamos fue una ceremonia sencilla, pero con las personas más queridas para nosotros.

Decido estudiar capellanía en el instituto. Me hago capellán sigo perseverando, pero termino el instituto y decido estudiar estudio en la universidad acreditadora de capellanía y estudios bíblicos de Puerto Rico una maestría en capellanía y después el doctorado en Consejería pastoral me ordenan como Reverenda. Y en el 2014 junto a mi esposo el Reverendo Julio A. Vega comenzamos a educar capellanes y comenzamos con una con una corporación sin fines de lucro The Great Commission of the Chaplain International Corp., la cual está acreditada por la misma universidad en la que estudie, con el decano Dr. Elías Vélez. Y inscrita en el estado de la Florida y Puerto Rico con capellanes en varios estados y Perú, pronto Cuba y Venezuela. Dios nos ha entregado este ministerio porque estamos presto a servir la vida del creyente debe de ser una vida de servicio a la humanidad y llevar su palabra a toda criatura. "Por tanto, id, y haced discípulos a todas las naciones, bautizándolos en el nombre del Padre, y del Hijo, y del Espíritu Santo." Mateo 28.19.

Dios sano mi corazón no podía usarme porque tenía rencor, coraje y no creía que él podía cambiar mi vida, solo él pudo hacerlo.

Así, todos nosotros, que con el rostro descubierto reflejamos como en un espejo la gloria del Señor, somos transformados a su semejanza con más y más gloria por la acción del Señor, que es el Espíritu. (2 Corintios 3:18).

Dra. Mirna Quiñones

The Great Commission of the Chaplain International Corp.

PO Box 529, Dundee FL. 33838-0529. Tel. (863) 399-1399

Testimonio de Sajida George Masih (Pakistán)

Nacida y criada en Faisalabad Pakistán, comencé mi vida como católica. En Pakistán, como en muchos países de Oriente Medio, hay muchas denominaciones diferentes de cristianos, pero la comunidad musulmana sólo ve musulmanes y no musulmanes o infieles. Así que todos los cristianos son todos parte de la hermandad de la comunidad cristiana. Por lo tanto, la pérdida de una iglesia o comunidad cristiana es una pérdida para todos los cristianos. Así fue como crecí como una cristiana devota en un país musulmán. He demostrado desde el principio ser una estudiante muy inteligente y capaz. Para mis veinte años, sabía fluido cinco idiomas.

En mi adolescencia no tenía más remedio que asistir a una escuela de alta musulmana donde se requería aprender el Corán. Siendo una estudiante apta e inteligente, me exasperaba el maestro del Corán. Como cristiana devota hice mejores grados, incluso en este estudio del Corán que los estudiantes musulmanes. Mi maestro, en mi frustración, era muy rápido para señalar a los otros estudiantes, para vergüenza de ellos. Dios estaba siempre a mi lado, y me dio la excelencia en mis estudios. Sobresalí, continuando en la universidad. Después de la graduación, me convertí en una maestra de preparatoria en una escuela cristiana de la comunidad. Allí, también manejé la mayor parte del trabajo de oficina, cuando yo no estaba enseñando.

Mi testimonio en realidad comenzó en mis 22 años (2012) cuando estaba en el baño de mi casa en Faisalabad. El suelo de baldosas estaba resbaladizo por el agua debido al baño que se habían dado antes los familiares. Al dar la vuelta me resbalé y caí, golpeándome mi cabeza contra el borde de un umbral, lo que me deja inconsciente. Desperté en el hospital, rodeado de aquellos que me parecían totalmente desconocidos. En cuestión de minutos, descubrí que estos extraños eran mis familiares. Sin embargo, era necesario que cada uno de ellos se presenten, una y otra vez. A los pocos minutos de su ausencia, a su regreso, tendrían que presentarse de nuevo, ya que solo tenía una memoria de 8 minutos. La mayor parte de mi pasado era vaga y olvidado.

Fielmente, mi familia se sentó conmigo, atendiendo a mis necesidades en la medida de su capacidad, cada vez que una enfermera no estaba disponible. Uno a uno, iban a tratar de llenar los enormes huecos en mi memoria. Se requirió muchas repeticiones, ya que podía retener el conocimiento de sólo ocho minutos.

En una noche tranquila, cuando aún estaba en el hospital, empecé a hablar a Dios desde mi corazón, no con las oraciones memorizadas habituales de mi infancia que todavía estaban vaga y distante desde mi caída. Por primera vez en mi vida, clamé a Dios con todo el corazón, por medio de Cristo Jesús.

En ese momento hice una promesa a Dios, que, si Él me curaba, trabajaría para El, todos los días de mi vida. Estaba totalmente rendida a Dios ese día. En cuestión de días se hizo evidente que Dios había escuchado mi oración y promesa. Mi memoria de repente regresó e incluso vagos recuerdos comenzaron a volver. A medida que avanzaban los días, mis terapeutas determinaron que con seguridad podía caminar sin ayuda, por lo que fui dada de alta para volver a casa. Yo era fiel a mi promesa y dentro de tres años tenía tres ministerios prósperos de niños.

La primera fue estudio de la Biblia todos los días, durante los cuales, me sentí que aprendí tanto como mis estudiantes. Los niños me querían y demostraron ser excelentes estudiantes. Muchos invitaron a sus amigos al grupo de estudio de la Biblia, todos los días por la tarde que pronto creció a más de un centenar de estudiantes diariamente.

A continuación, empecé el ministerio ampliamente para el grupo más necesitados de los hijos de los trabajadores de los hornos de ladrillos, migrantes que vivían y trabajaban en condiciones de esclavitud. Los propietarios de los hornos de ladrillos prestaban dinero a los trabajadores adultos analfabetos, que pronto descubrí que estos "préstamos" tenían condiciones casi imposibles de amortización, lo que resulta que los trabajadores están obligados a estos patrones. A medida que pasaba el tiempo, la necesidad, de estos trabajadores ponían a trabajar a sus hijos para ayudar a pagar las deudas contraídas por sus padres. Estos niños como adultos trabajaban todo el día en el calor abrasador para ayudar a sus padres. Pensamientos de vivir la niñez siempre fueron más que un sueño para ellos. Con demasiada frecuencia, los padres tendrían que pedir prestado más dinero para alimentar a sus familias, lo que perpetúa las condiciones de esclavitud toda su vida. Los niños que alcanzan la edad adulta, sin saber nada más y sin educación, seguirían los pasos de sus padres.

Con mucho esfuerzo conseguí la ayuda de maestros y el gobierno para ayudar a estos niños mediante el suministro de materiales de enseñanza a voluntarios dispuestos a ayudarlos. Mi corazón estaba con ellos, así que rápidamente me fui yendo directamente de mi grupo de Biblia, a un lugar preestablecido, donde me encontré con estos niños. A menudo, me gustaba cocinar comidas para alimentarlos. Llegaban directamente de largas horas de trabajo en los hornos de ladrillos para aprender los conceptos básicos de lectura, escritura y matemáticas. También les enseñe acerca de la Biblia y de Jesús, dándoles una nueva esperanza. Al poco tiempo, empecé ayudando a otro ministerio de niños huérfanos, finalmente, me hice cargo de este ministerio en su totalidad. Al ser una costurera muy capaz, enseñé a las niñas huérfanas a coser, dándoles esperanza para una ocupación en el futuro. Siempre tome tiempo para contarles acerca de la Biblia y de Jesús.

Después de unos años en estos ministerios, aproveché la oportunidad para un ministerio más profundo, más fuerte. Con una pausa de un mes cada junio empecé a planear y llevar a cabo un gran "campo de la biblia" para los niños, con una duración de una semana. Estos campamentos anuales bíblicos durarían todo el día, lo que requiere diversidad de juegos, manualidades, clases de Biblia y comidas, todos los días. Ahorraba todo el año del salario de maestra, para financiar estos campos de crecimiento y popularidad de la Biblia, con un promedio de más de 200 estudiantes. Yo cocinaba y les daba de comer todos los días, además de todas las otras cosas que hice. Tuve la suerte de reclutar a otros cristianos de la comunidad para que me ayude, pero el peso principal y preparación era mía.

Mi promesa a Dios, mi amor por Él y para los niños, me llevó a un mayor esfuerzo. Una tarde un evento aterrador ocurrió durante la tarde de estudio Bíblico. Dos hombres musulmanes (no terroristas) entraron en mi estudio de la Biblia, que me amenazaban de matarme si no dejaba de enseñar a los niños acerca de Jesús ... Para su sorpresa, y con calma los miraba diciendo: "Adelante, mátame entonces, porque no voy a dejar de enseñarles acerca de Jesús y la Biblia. "mí valiente audacia, evidentemente, los sacudió, haciendo que se salgan rápidamente y no volvieron, como resultado de esa experiencia traumática, mis esfuerzos aumentaron, cada vez más niños vinieron a mí para las lecciones de la Biblia y aprender acerca de Jesús.

Ministerio La Segunda Oportunidad en Pakistán

Quiero destacar además como Dios en su soberanía absoluta le plació abrirme puertas en la Ciudad de Lahore Pakistán y permitir que registrar nuestro ministerio en esta parte del mundo en donde están siendo asesinados muchos musulmanes convertidos a la fe cristiana. Escogiendo a este humilde ministerio para una misión ponderosa en esta parte del mundo, en donde recibirá el impacto del avivamiento más grande en la historia del cristianismo en esta región que ya comenzó la llama del avivamiento y no hay diablo ni infierno que lo detenga, porque Dios no es hombre, para que mienta, ni hijo de hombre para que se arrepienta. ¿Él dijo, y no hará? ¿Hablo, y no lo ejecutará?

Las mujeres en este país sufren la discriminación de ser consideradas inferiores a los hombres, a lo que se suma que el honor de estos depende de las acciones de ellas.

Entre todas las violaciones de los derechos de la mujer paquistaní, la que mayor rechazo ha provocado en la opinión pública mundial ha sido la de los llamados "asesinos de honor", en los que una mujer es asesinada por su "conducta inmoral actual o percibida. Los asesinatos por honor están prohibidos en Pakistán y el presidente, general Musharraf, ha prometido luchar contra ellos, pero en realidad estas prácticas no son perseguidas por la administración.

Quiero compartir con los hermanos en Cristo Jesús y los que lean este libro, que la realidad o mejor dicho el crimen que están viviendo las mujeres paquistanís es extremo y en especial las mujeres cristianas. Los hermanos pastores no reconocen a las ministras capaces de estar al frente de una congregación.

Nuestra labor en Pakistán como ministerio registrado allá, es el no escatimar esfuerzos para reconocer a las mujeres como hijas de Dios con los mismos derechos otorgados por el Padre celestial, el reconocer tales derechos comprados con sangre en la cruz del calvario. En el mes de Marzo del 2017 tendremos la inauguración del Ministerio La Segunda Oportunidad The Second Chance Church Ministries en Pakistán", el reconocer e instalar oficialmente a la Hermana Amna Faisal como la primera mujer responsable de la primera hija espiritual (iglesia) en el Pueblo de Rana, pobre en lo material pero llenos en lo espiritual.

En entrevista con esta sierva valiente y esforzada me compartió que ella estaría dispuesta en ser asesinada por seguir el legado de Jesús, y si fuera necesario, porque ella jamás negaría su Fe en Jesús. me gozo en manera solidaria con esta "Guerrera" del Dios Altísimo para estos momentos finales antes del arrebatamiento de la Iglesia al disfrutar de las Bodas del Cordero. ESTAMOS HACIENDO HISTORIA EN PAKISTAN Y POSTERIORME EN TODOS LOS PAISES DE ASIA.

Pastora Amna Faisal ministrando quien es la primera mujer en estar al frente de una congregación (Obra) en la historia del cristianismo en Pakistán.

THE SECOND CHANCE CHURCH MINISTRY

Mateo 25:35-36

Reaching The World For Christ

Founder
Mr. & Mrs.
Dr.Marcos
Sandra Toyens

Head Office:
Ministry Team
Member

Senior
Pastor
Sharoon
Javed

1 DAY HEALING

CRUSADE

26 DECEMBER ON **MONDAY**

TIMING: 5 P.M TO 8 P.M

CHUNGI AMER SIDHU LHR.

Head Office: Street No.4, Church No. 9956, Block-4, Younana Abad From Pur Road Lahore

---

THE SECOND CHANCE CHURCH MINISTRY

Mateo 25:35-36

Reaching The World For Christ

Founder
Mr. & Mrs.

Head Office:
Ministry Team
Member

Senior
Pastor
Sharoon
Javed

Medical Camp IN JAIL

27 DECEMBER ON **TUESDAY**

15 MINUETS PREACH ONLY
ONE HUNDRED SHOES
ONE HUNDRED CLOTH
DISTRIBUTE ON JAIL

Head Office: Street No.4, Church No. 9956, Block-4, Younana Abad Prom Pur Road Lahore

155

Dr./Rev. Marcos A. Toyens Th.D., Ph.D.

Ministerio La Segunda Oportunidad, Inc.

Presidente Fundador

Email: matoyens@gmail.com

Web: www.ministeriolasegundaoportunidad.org

Tel. (407)-984-1593

Libro en Venta: Lulu, Amazon, Barnes & Noble, etc.

Directamente del Autor: www.inyeccionesdefe.webs.com

Con la compra de este libro, usted estará donando para nuestro ministerio en el campo misionero local e internacional, para el trabajo con los presos, con los niños, huérfanos e Iglesias de Pakistán, Ghana-África, República Dominicana, Perú, Nicaragua, Panamá, Venezuela, Ecuador, México, Puerto Rico y otros países que se unirán de todos los lugares que están pendientes por alcanzar. Dios le bendiga abundantemente y sin reproche.

"Y el que da semilla al que siembra, y pan al que come, proveerá y multiplicará vuestra sementera, y aumentará los frutos de vuestra justicia."
(2 Corintios 9:10).

Comparta nuestro link de venta de nuestros libros:

www.lulu.com/shop/search.ep?keyWords=marcos+toyens&type=

Donaciones independientes a:

http://paypal.me/marcostoyens

Enlace para el Libro digital o electrónico EBOOK:

Puede escribir cualquiera de estos dos links en su buscador de internet de su teléfono, tablet, laptop o computadora y luego grabarlo como archivo o bookmark para abrirlo siempre que quiera.

https://docdro.id/n4AXXjZ

Enlace para el Libro en Audio, AUDIOBOOK:

https://drive.google.com/file/d/0B5lxrXWvS-1XdEtteXcxc0NaTXc/view?usp=sharing

Puede hacer lo mismo con este link para después grabarlo en su teléfono, tablet, computadora; luego pasarlo a un flash drive (memoria) o cd para escucharlo en su carro o equipo de sonido.

Made in the USA
Middletown, DE
05 October 2021

49722445R00094